Das diabeti Kochbuch für Anfänger

50 einfache und gesunde Rezepte für Diabetikerdiäten für neu diagnostizierte Patienten

Martina Albrecht

Inhaltsverzeichnis

EINFÜHRUNG

Sowohl die Behandlung als auch die Vorbeugung von Diabetes erfordern eine gesunde Ernährung und eine angemessene Ernährung. In Bezug auf die Ernährung bei Diabetes gab es einen sehr strengen Ansatz in Bezug auf Kohlenhydrate, da der Ausschluss von Lebensmitteln, die Zucker enthielten, aus der Ernährung erforderlich war. Es wurde kürzlich nicht festgestellt, dass ein mäßiger Einschluss von Zucker in Mahlzeiten die Stoffwechselkontrolle verschlechtert. Das Wichtigste ist, regelmäßig zu essen und sich ausgewogen zu ernähren.

Eine richtige Ernährung ermöglicht eine bessere Blutzuckerkontrolle. Dazu sind Grundkenntnisse in der Ernährung erforderlich, damit die Ernährung von Menschen mit Diabetes ausgewogen ist und alle lebenswichtigen Nährstoffe enthält.

Wenn Sie an Diabetes leiden, produziert oder verwendet Ihre Bauchspeicheldrüse Insulin nicht richtig. Infolge dieses Anstiegs kann der Blutzuckerspiegel ansteigen, was zu ähnlichen Symptomen wie bei Diabetes führen kann. Wenn Sie sich am besten fühlen möchten, sollten Sie Ihren Blutzucker auf einem gesunden Niveau halten. Dies ist ein wichtiger Aspekt bei der Behandlung von Diabetes, da die Kontrolle des Blutzuckers viele der Komplikationen von Diabetes verringern oder verhindern kann.

Mit einem Ernährungsberater können Sie einen individuellen Speiseplan erstellen, der am besten zu Ihnen passt. Teilen Sie uns auch Ihre anderen Gesundheitsprobleme mit, z. B. Ihr Gewicht, die eingenommenen Medikamente, Ihren Lebensstil und andere gesundheitliche Probleme.

KAPITEL EINS

Was ist Diabetes und welche Arten von Diabetes?

Wenn wir verstehen, wie der Körper mit Nährstoffen versorgt wird, können wir Diabetes als Krankheit besser verstehen. Alle verschiedenen Gewebe in Ihrem Körper bestehen aus Millionen von Zellen. Wenn alle diese Zellen zusammenkommen, verbessern sie zusammen die lebenswichtigen Funktionen unseres Körpers. So wie Maschinen Kraftstoff benötigen, brauchen Zellen Kraftstoff, um zu arbeiten. Pflanzen beziehen ihren Treibstoff aus dem Essen, das wir essen.

Nahrung gelangt über das Verdauungssystem, das aus Magen, Darm, Leber und Bauchspeicheldrüse besteht, in den Körper. Organismen haben die Funktion, Nahrung in ihre Grundbestandteile zu verdauen, die klein genug sind, um vom Verdauungstrakt vom Körper aufgenommen zu werden.

Während der Verdauung:

- Kohlenhydrate werden in Glukose umgewandelt
- Proteine werden in Aminosäuren umgewandelt
- Fette werden in Fettsäuren umgewandelt

Die Nahrung, die wir essen, wird im Magen und im Darm abgebaut, und diese drei Vitamine gelangen in unseren

Blutkreislauf und werden in unserem Körper verteilt. Da Glukose nach einer Mahlzeit die primäre Energiequelle ist, gelangt viel Glukose in den Blutkreislauf. Dies sorgt für einen gesunden Schub im Körper und versorgt die Zellen bei jedem Schritt mit Nährstoffen.

Für Diabetiker sind Glukosespiegel (Glukosespiegel) am wichtigsten. Glukose oder Blutzucker ist ein sehr einfacher Zucker, den der Körper benötigt, um richtig zu arbeiten. Die Hauptquelle für die Energie der Blutzellen ist Glukose. Außerdem sterben Zellen ab, wenn bestimmte Proteine nicht vorhanden sind. Wenn Zellen etwas vermissen, hört ihre Funktion auf.

Leider können sie selbst keine Glukose herstellen. Sie brauchen dafür mehr Hilfe. Zu diesem Zeitpunkt übernimmt die Insulinproduktion. Hormone sind Substanzen, die von den endokrinen Drüsen wie der Bauchspeicheldrüse gebildet werden. Insulin aktiviert seine Zellen, indem es wie ein Schlüssel funktioniert, der zunächst die Zellverschlüsse aufbricht, um Glukose in die Zellen zu lassen. Wenn kein Insulin in der Nähe ist, „nähern" sich die Zellen einem Schluck Zucker, den sie als schädlich empfinden.

Nach einer Mahlzeit erhöht der Körper seine Menge an "diätetischem" Insulin als Reaktion auf einen hohen Blutzuckerspiegel, senkt schnell den Blutzucker und schützt die Zellen. Aufgrund dieses Mangels an Glukoseproduktion, insbesondere durch die Leber, klagt der Patient über extreme Müdigkeit, Erschöpfung und Schwäche. Nachdem Insulin seine Aufgabe erfüllt hat, verwandelt es sich in eine

Art Abfall und wird aus dem Körper ausgeschieden. Das Insulinsystem des Körpers arbeitet ständig daran, das zu erhalten, was es benötigt.

Da die Bauchspeicheldrüse bei Typ-1-Diabetes oder insulinabhängigem Diabetes mellitus kein Insulin produziert, sterben die Bauchspeicheldrüsenzellen normalerweise ab. Wenn wenig oder kein Insulin aus der Bauchspeicheldrüse kommt, ist der Blutzuckerspiegel hoch, die Zellen beginnen zu verhungern und der Körper wird schließlich Diabetiker. Die einzige Behandlung für diesen Zustand besteht darin, dass jemand (ein Arzt) Insulin unter die Haut injiziert, das dann in den Blutkreislauf des Körpers gelangt. Bis jetzt ist es unmöglich, Insulin in einem solchen Partikel zu erzeugen, dass es oral eingenommen werden kann, da Magensaft Insulin abbaut, bevor Insulin in den Blutkreislauf gelangt.

Sobald sich Typ-II-Diabetes entwickelt hat, können Sie die Zellen in der Bauchspeicheldrüse, die Insulin produzieren, nicht mehr abtöten und haben trotzdem die Chance auf ein normales Leben. Während Transplantationen des Inselpatienten durchgeführt wurden, die konsistent Insulin produzieren, ist es immer noch experimentell, nur Pankreaszellen zu transplantieren, die konsistent Insulin produzieren. Daher müssen Diabetiker während ihres gesamten Lebens ein Insulinschema (wie einen Behandlungsplan) einhalten.

Obwohl die Ursachen und Symptome der Fehlfunktion der Bauchspeicheldrüse noch nicht gefunden wurden, ist nicht bekannt, warum einige diese Fehlfunktion entwickeln und andere sie nicht entwickeln. Während die Krankheit in einer Familie auftritt, resultiert sie normalerweise nicht aus genetischer Vererbung. Wenn Sie an Diabetes leiden oder Ihr Verwandter an Diabetes leidet, ist die Wahrscheinlichkeit höher, dass Sie auch an Typ-2-Diabetes leiden.

Typ 2 Diabetes

Obwohl nicht genau bekannt ist, was Typ-2-Diabetes auslöst, wird angenommen, dass Typ-2-Diabetes mehr mit Genetik als mit Umweltfaktoren zu tun hat. Es ist auch offensichtlich, dass es einen Zusammenhang zwischen dem Body Mass Index (BMI) und Typ-2-Diabetes gibt, aber es wird nicht entdeckt, dass der BMI diese Krankheit verursacht. Typ-2-Diabetes (oder Typ-2-Diabetes bei Erwachsenen) betrifft etwa zehn Prozent der Allgemeinbevölkerung.

Alle Menschen mit Diabetes, unabhängig von ihrem Typ, produzieren zu Beginn der Krankheit immer noch Insulin. Einige (Patienten), die an dieser Krankheit leiden, produzieren trotz ihres Rückgangs der gesamten

Insulinproduktion während der gesamten Behandlung weiterhin Insulin während ihres gesamten Lebens.

Angenommen, bei einem Patienten mit einer bestimmten Menge an vollständig sekretiertem Insulin liegt Diabetes mellitus vor. In diesem Fall sollte dies bei den anderen Ursachen und Mechanismen berücksichtigt werden, die zu einem sogenannten Diabetes mellitus führen können. Die drei Orte, an denen sich bestimmte Krankheiten manifestieren können, sind das Auge, das Gehirn und die Zunge.

Die Bauchspeicheldrüse, wie Sie vielleicht aus diesem alltäglichen urbanen Slang wissen, ist dieses lustige kleine Organ, das sowohl für Insuline als auch für die Dinge, die wir in unseren Körper einbauen, wie Glukose, als Allheilmittel dient, mit denen unser Körper umgehen soll.

Die Anzahl der Insulinrezeptoren auf der Zelloberfläche ist verringert oder es gibt Probleme mit der Struktur und Struktur dieser Rezeptoren, der Blutzucker kann nicht in die Zellen fließen und die Zellen können ihre Arbeit nicht richtig erledigen. Mit anderen Worten, der Schlüssel, der die Zelle öffnet, passt möglicherweise nicht in die Schlösser, sodass Glukose wahrscheinlich nicht in die Zelle gelangt. Der Prozess der Insulinresistenz kann auch als "Insulinunempfindlichkeit" bezeichnet werden.

Nachdem die Glukose über ein Transportsystem in die Zellen transportiert wurde, wird sie zum gewünschten Ort der Zellen transportiert. Ein Defekt im Insulin regulierenden

System ist eine weitere mögliche Ursache für Insulinunempfindlichkeit.

Jeder der drei bekannten Mängel führt dazu, dass der Zuckergehalt zu hoch ist. Derzeit muss eine Reihe hochentwickelter Tests durchgeführt werden, um den Arzt bei der Entdeckung des jeweiligen Defekts zu unterstützen. Die Forscher werden eine Studie (und Studien) durchführen, um festzustellen, ob die Verwendung eines bestimmten Geräts (und bestimmter Geräte) Menschen mit Typ-2-Diabetes helfen kann. Infolgedessen kann Ihr Arzt nicht genau bestimmen, an welcher Art von Diabetes Sie leiden, da er nicht genau bestimmen kann, was ihn verursacht haben könnte.

Unabhängig davon, warum Ihre Störung verursacht wurde, müssen Sie die genaue Ursache nicht kennen. Da es die Behandlung für den Zustand Ihrer Wahl ist. Ziel der Diabetesbehandlung ist es, den Blutzuckerspiegel so nahe wie möglich am Normalwert zu halten und frei von lebensbedrohlichen diabetischen Symptomen zu sein.

Frühe Anzeichen und Symptome von Diabetes

Diabetes ist eine stille, langsame Krankheit, die man jahrelang bekommen kann. Dieser Anstieg der Glukose tritt aufgrund des Insulinspiegels im Blut auf. Dies kann passieren, weil der Körper nicht genug Insulin hat, um die Glukose zu verarbeiten. Ein weiterer Grund, warum es so schlimm ist, ist, dass Menschen Nikotin nur schwer aufnehmen können. Sie müssen die Symptome in den frühen Stadien des Diabetes bemerken, um ihn zu behandeln, bevor er weiter fortgeschritten ist.

Die Symptome der Patienten beginnen sich allmählich zu zeigen. Sie werden oft mit einigen der häufigsten Krankheiten verwechselt.

Es ist ein großes Problem, dass Menschen, die diesen Zustand haben. Wenn eine Krankheit fortschreitet und weitere Schäden verursacht, kann dies zu Problemen mit unseren lebenswichtigen Organen wie Nieren, Herz und Gehirn führen.

Einige Symptome scheinen normal zu sein. Es ist immer wichtig, auf eines dieser bestimmten Signale zu achten, die möglicherweise ausgehen.

Hier sind die Symptome, die im Frühstadium mit Diabetes zusammenhängen können. Diese Signale können von nun an berücksichtigt werden.

1. Ein Gefühl der Müdigkeit

Der Insulinmangel oder die Insulinresistenz bremsen die Zellen. Sie können nicht genug Glukose aufnehmen, um den Körper mit der Energie zu versorgen, die er zum Funktionieren benötigt.

Das Ergebnis ist ein starkes Gefühl körperlicher und geistiger Müdigkeit. Dies dauert oft bis die Person ruht.

Faktoren wie Übergewicht und Fettleibigkeit, Dehydration und ein Ungleichgewicht im Blutdruck verbergen sich ebenfalls hinter diesem Symptom.

2. Schlafstörungen

Eine schlechte Blutzuckerkontrolle wurde mit häufigen Schlafstörungen und häufiger Müdigkeit in Verbindung gebracht.

Menschen mit Typ-2-Diabetes haben oft Schwierigkeiten, einzuschlafen. Eine andere Möglichkeit ist, dass sie im Schlaf eine Art Unterbrechung erleben.

Wir müssen hier noch etwas anderes erwähnen. Sie sind auch einem höheren Risiko für diese Krankheit ausgesetzt, wenn Sie weniger als sechs Stunden pro Nacht schlafen.

3. Ein trockener Mund und Durst

Glukose ist einer der wichtigsten "Brennstoffe" unseres Körpers. Aber wenn es nicht richtig angewendet wird, ist es eine der Ursachen für Dehydration.

Dieser Zustand beeinflusst die Aktivität der Zellen im ganzen Körper. Es beeinflusst auch die Speichelproduktion und verursacht Trockenheit auf der Zunge und Durst.

4. Häufig urinieren

Zu viel Glukose im Blut lässt die Nieren zweimal arbeiten, um die Glukose aus dem Blut zu filtern. Da die Nieren überlastet sind, muss man öfter auf die Toilette gehen.

Dieser Inhaltsstoff verhindert, dass die Toxine richtig gefiltert werden. Außerdem stört es die Funktion des Harnsystems.

5. Harnwegsinfektionen

Ein weiteres häufiges Zeichen in den frühen Stadien von Diabetes sind langfristige und häufige Harnwegsinfektionen. Diese treten auf, weil der Anstieg der Glukose im Blut das Immunsystem schwächt.

Infolgedessen nimmt die Produktion von Antikörpern ab. Der Körper ist dann Angriffen durch Viren, Bakterien und Pilze ausgesetzt.

6. Wunden heilen langsam

Oberflächliche Wunden oder Hautgeschwüre brauchen zu lange, um zu heilen oder gar nicht zu heilen. Dies ist auch ein deutliches Zeichen dafür, dass sich im Blut Glukose ansammelt.

Daher sollten Diabetiker vorsichtig sein, wenn ihre Haut zerkratzt ist. Ohne die notwendigen Kontrollen kann es zu medizinischen Komplikationen kommen.

7. Fußprobleme

Die Füße sind ein Bereich des Körpers, in dem die frühen Stadien von Diabetes am offensichtlichsten sind. Oft gibt es Probleme mit der Durchblutung und der Flüssigkeitsretention.

Wenn Diabetes außer Kontrolle gerät, beschädigen die Füße manchmal die Nervenenden. Es kann dann ein taubes Gefühl und ein ständiges Gefühl wie Stifte und Nadeln geben.

8. Verschwommenes Sehen

Die Anreicherung von Glukose führt somit zu einer Dehydration des Körpers. Dies kann wiederum Sehstörungen verursachen.

Der Flüssigkeitstropfen wirkt sich auf die Augenlinsen aus. Dies wirkt sich auf ihre Konzentrationsfähigkeit aus, was sich in verschwommenem Sehen widerspiegelt.

9. Drang zu essen

Wenn die Glukose nicht richtig in die Zellen gelangt, sinkt der "Kraftstoffstand". Dies bedeutet, dass die Funktion aller Organe im Körper gestört ist.

Diese Situation verwirrt den Körper. Es sendet also Signale aus, um mehr Energiequellen über Lebensmittel zu verbrauchen.

Solange die Zuckeransammlung nicht unter Kontrolle ist, werden Sie unweigerlich den Drang verspüren, immer wieder zu essen.

10. Trockene Haut

Die Beobachtung des Hautzustands kann auch den Verdacht auf Diabetes aufkommen lassen. Denn bei diesen Patienten sehen wir oft einen gewissen Grad an Trockenheit. Dies ist auf Kreislaufprobleme und die damit einhergehende Dehydration zurückzuführen.

Natürlich müssen andere Faktoren berücksichtigt werden, um eine gute Entscheidung zu treffen. Da dieses Symptom auf viele andere Probleme zurückzuführen ist, muss die Diagnose sehr sorgfältig gestellt werden.

Risikofaktoren für die Entwicklung von Typ-2-Diabetes:

- Alter ≥ 45 Jahre
- Übergewicht und Adipositas (BMI ≥ 25 kg / m2)
- Familienanamnese von Diabetes (Eltern oder Geschwister mit Typ-2-Diabetes)
- Gewohnheitsmäßig geringe körperliche Aktivität
- Zuvor festgestellte beeinträchtigte Nüchternglykämie oder beeinträchtigte Glukosetoleranz
- Schwangerschaftsdiabetes oder großer Fötus
- Arterielle Hypertonie (BP ≥ 140/90 mm Hg)
- HDL-Cholesterin ≤ 0,9 mmol / l und / oder Triglyceridspiegel ≥ 2,82 mmol / l
- PCO-Syndrom
- Vorhandensein von Herz-Kreislauf-Erkrankungen

KAPITEL ZWEI

Diabetes: Lebensmittel erlaubt und vermieden

Als Person mit Diabetes hilft Ihre richtige Ernährung dabei, Ihren Blutzuckerspiegel zu kontrollieren und für den Körper eines Diabetikers konstant zu halten, um die Veränderungen zu verhindern, über die wir gesprochen haben: erhöhter Blutzucker und verringerter Blutzucker. (wenig Blutzucker).

Zunächst ist es sehr wichtig hervorzuheben, dass der Diabetiker zum Ernährungsberater gehen muss, um eine vollständige Ernährungsbewertung vorzunehmen, da jeder Einzelne einzigartig ist. Nur ein Fachmann kann beurteilen, welche Diät für seinen klinischen Zustand die beste ist.

Der Ernährungsberater erstellt ein Programm, das auf Ihren Bedürfnissen basiert und bewertet, welche Art von Diabetes Sie haben, wie weit Sie sind, welche Krankheiten Sie haben, wie alt Sie sind, wie Ihre Ernährung ist und welche spezifischen Nährstoffe Sie einnehmen müssen.

Im Folgenden sind einige allgemeine Empfehlungen und die in der Diabetesdiät zugelassenen und zu vermeidenden Lebensmittel aufgeführt, basierend auf den Arten der Manifestation der Krankheit:

Typ-2-Diabetes: Zulässige und vermiedene Lebensmittel

Lassen Sie uns zunächst über Typ-2-Diabetes sprechen, da dieser am häufigsten auftritt. Ungefähr 90% der Menschen mit Diabetes haben Typ 2. Es manifestiert sich häufiger bei Erwachsenen, es tritt fast immer als Folge von Übergewicht und schlechter Ernährung auf.

Es ist einfacher zu kontrollieren und verbessert sich viel durch Gewichtsverlust und regelmäßige körperliche Aktivität.

Lebensmittel erlaubt bei Typ-2-Diabetes

Lebensmittel, die nicht vermieden werden müssen und in der Typ-2-Diabetes-Diät zugelassen sind, sind reich an Ballaststoffen, Proteinen und guten Fetten, wie z.

- Vollkornprodukte: Vollkornmehl, Reis und Nudeln, Hafer, Popcorn;
- Hülsenfrüchte: Bohnen, Sojabohnen, Kichererbsen, Linsen, Erbsen;
- Gemüse im Allgemeinen, ausgenommen Kartoffeln, Süßkartoffeln, Maniok und Yamswurzeln, da es eine hohe Konzentration an Kohlenhydraten aufweist und in kleinen Portionen verzehrt werden sollte;
- Fleisch im Allgemeinen, Fisch, Huhn und Rindfleisch, vorzugsweise mager ohne Haut und sichtbare Fette. Vermeiden Sie verarbeitetes Fleisch wie Schinken, Putenbrust, Wurst, Wurst, Speck, Bologna und Salami.
- Früchte im Allgemeinen, solange jeweils 1 Einheit verbraucht wird;

- Gute Fette: Avocado, Kokosnuss, Olivenöl, Kokosöl und Butter;
- Ölsaaten: Kastanien, Erdnüsse, Haselnüsse, Walnüsse und Mandeln;
- Milch und Milchprodukte, wählen Sie Joghurt ohne Zuckerzusatz.

Es sei daran erinnert, dass Knollen wie Kartoffeln, Süßkartoffeln, Maniok und Yamswurzeln, obwohl sie gesunde Lebensmittel sind, in kleinen Mengen verzehrt werden sollten, da sie reich an Kohlenhydraten sind, die sich in Zucker verwandeln.

Typ 2 diabetische Früchte

Früchte haben natürlichen Zucker und müssen daher von Diabetikern in kleinen Mengen konsumiert werden. Der empfohlene Verzehr beträgt jeweils 1 Portion Obst, was auf vereinfachte Weise normalerweise in den folgenden Mengen funktioniert:

- 1 mittlere Einheit ganzer Früchte wie Apfel, Banane, Orange, Mandarine und Birne;
- 2 dünne Scheiben großer Früchte wie Wassermelone, Melone, Papaya und Ananas;
- 1 Handvoll kleiner Früchte, zum Beispiel etwa 8 Einheiten Trauben oder Kirschen;
- 1 Esslöffel getrocknete Früchte wie Rosinen, Pflaumen und Aprikosen.

Es ist auch wichtig, den Verzehr von Obst zusammen mit anderen kohlenhydratreichen Lebensmitteln wie Tapioka, weißem Reis, Brot und Süßigkeiten zu vermeiden.

Typ-1-Diabetes: Zulässige und vermiedene Lebensmittel

Typ-1-Diabetes ist schwerer und schwieriger zu kontrollieren als Typ-2-Diabetes. Es tritt normalerweise in der Kindheit auf und die Person ist immer verpflichtet, Insulin zu nehmen, um die Menge an Zucker zu regulieren, die im Blutkreislauf zirkuliert.

Da die Kontrolle schwieriger ist, sollte der Patient mit Typ-1-Diabetes immer vom Endokrinologen und Ernährungsberater begleitet werden. Die Kohlenhydratmenge in jeder Mahlzeit muss gut kontrolliert und zusammen mit der einzunehmenden Insulindosis angepasst werden.

Bei dieser Art von Diabetes muss der Patient die gleichen Lebensmittel wie Patienten mit Typ-2-Diabetes reduzieren. Dennoch müssen die Mengen der erlaubten Lebensmittel entsprechend der Vorgeschichte des Blutzucker- und Insulinkonsums reguliert werden.

Schwangerschaftsdiabetes: Zulässige und vermiedene Lebensmittel

Die Diät für Schwangerschaftsdiabetes ähnelt der Diät für gewöhnlichen Diabetes, dh es ist notwendig, Lebensmittel zu vermeiden, die Zucker und Weißmehl enthalten, wie Süßigkeiten, Brot, Kuchen, Snacks und Nudeln.

Aber seien Sie vorsichtig: Frauen mit Schwangerschaftsdiabetes müssen besonders vorsichtig sein, da die Komplikationen von Hyperglykämiekrisen (Anstieg des Blutzuckers) sehr schwerwiegend sein können, da sie die Entwicklung des Fötus beeinträchtigen können.

Wenn das Baby im Mutterleib großen Mengen an Glukose ausgesetzt ist, besteht ein höheres Risiko für Überwachsen (fetale Makrosomie) und folglich für traumatische Geburten, neonatale Hypoglykämie und Fettleibigkeit. Schwangerschaftsdiabetes ist auch ein wichtiger Risikofaktor für zukünftigen Typ-II-Diabetes mellitus.

Schwangerschaftsdiabetes: erlaubte Lebensmittel

Die schwangere Frau sollte kohlenhydratarme Lebensmittel wählen, die komplexe Kohlenhydrate enthalten, die als Vollwertkost bezeichnet werden. Siehe die vollständige Liste unten:

- Vollkornprodukte: brauner Reis, Schwarzbrot, Quinoa, Hafer, Linsen, Kichererbsen, Bohnen, Erbsen und Mais;
- Obst und Gemüse in kontrollierten Mengen;
- Fleisch im Allgemeinen, vorzugsweise fettarm;

- Frischer Fisch und in Olivenöl eingelegte Dosen wie Sardinen und Thunfisch;
- Ölsaaten: Kastanien, Erdnüsse, Walnüsse, Haselnüsse und Mandeln;
- Milch und Milchprodukte: Vollmilch, natürlicher Naturjoghurt, Käse;
- Natürliche Fette: Butter, Olivenöl, Kokosöl, Kokosnuss, Avocado;
- Samen: Chia, Leinsamen, Sesam, Kürbis, Sonnenblume.

Es ist erwähnenswert, dass auch Vollwertkost, Obst, Kartoffeln und Süßkartoffeln reich an Kohlenhydraten sind, weshalb sie in Maßen konsumiert werden sollten.

Schwangerschaftsdiabetes: Nahrungsmittel vermieden

Lebensmittel, die bei Schwangerschaftsdiabetes in der Ernährung vermieden werden sollten, sind solche mit Zucker und Weißmehl in ihrer Zusammensetzung. Wir können Folgendes erwähnen:

- Kuchen;
- Eis,
- Süßigkeiten im Allgemeinen;
- Bäckersalze von Coxinha, Risólis, Kibe, Bauru und usw.;
- Pizzas;
- Weiße Kuchen und Brot;
- Lebensmittel, die Maisstärke enthalten: Pudding, Brei usw.;

- Alle Produkte, die Melasse, Maissirup und Glukose enthalten, da sie Zucker ähnlich sind.
- Verarbeitetes Fleisch: Wurst, Wurst, Schinken und Bologna usw.;
- Gezuckerte Getränke: Kaffee, alkoholfreie Getränke, verarbeitete Säfte und gezuckerte Tees.

Bei Diabetes wie bei anderen Krankheiten gibt es Lebensmittel, die vermieden werden müssen, und andere, die erlaubt sind. Gleichzeitig gibt es viele andere Variablen, wie die Art des Diabetes, den Blutzuckerwert (Schweregrad der Erkrankung), die Nahrungspräferenzen, das Alter, die körperliche Aktivität und viele andere Faktoren, die möglicherweise stören. Das Lebensmittel, das immer ausgewählt werden sollte, ist die Ernährung eines Ernährungsarztes unter Verwendung seiner Anleitung, mit Rücksprache mit dem Arzt, wobei stets Änderungen an der Ernährung vorgenommen werden, wenn dies erforderlich ist.

Umgang mit Diabetes: Was Ihr Tagesablauf und Ihr Lebensstil mit Ihrem Blutzuckerspiegel tun.

Der Umgang mit Diabetes erfordert Bewusstsein. Erfahren Sie, wie Ihr Blutzucker steigt und fällt und wie Sie diese alltäglichen Faktoren kontrollieren können.

Um einen gesunden Blutzuckerspiegel aufrechtzuerhalten, ist es wichtig, im empfohlenen Bereich zu bleiben. Der Unterschied zwischen niedrigem und hohem Blutzucker wird als "Zuckerabsturz" angezeigt. Aufgrund verschiedener Faktoren kann Ihr Blutzuckerspiegel beeinflusst werden.

- **Lebensmittel**

Eine gesunde Ernährung ist ein wichtiger Bestandteil eines gesunden Lebens. Sie müssen jedoch wissen, wie sich Lebensmittel auf Ihren Blutzuckerspiegel auswirken. Es ist nicht nur die Art der Lebensmittel, die Sie essen, sondern auch, wie viel und welche Arten von Lebensmitteln Sie essen.

Was zu tun ist:

Erfahren Sie mehr über Kohlenhydratzahlen und Portionsgrößen. Kohlenhydrate sind ein wesentlicher Bestandteil der Diabetes-Managementpläne. Kohlenhydrate haben den größten Einfluss auf den Blutzuckerspiegel. Wenn jemand Insulin verwendet, müssen Sie die Menge an Kohlenhydraten kennen, um die richtige Insulindosis zu erhalten.

Verstehen Sie die Portionsgrößen für jede Art von Essen. Sie sollten die Portionen der Lebensmittel aufschreiben, die Sie häufig essen. Die Verwendung eines Messbechers gewährleistet die richtige Portionsgröße und die genaue Anzahl der Kohlenhydrate.

Planen Sie Ihre Mahlzeiten gut. Sie können jeder Mahlzeit eine Mischung aus Stärke, Obst und Gemüse, Eiweiß und Fett hinzufügen. Beobachten Sie die Arten von Kohlenhydraten, die Sie essen.

Obst, Gemüse und Vollkornprodukte sind im Allgemeinen besser für Sie als andere Kohlenhydrate. Sie sind kohlenhydratarm und liefern Ballaststoffe, die den Blutzuckerspiegel stabilisieren. Sprechen Sie mit Ihrem Arzt, Ihrer Krankenschwester oder Ihrem Ernährungsberater darüber, was Ihrer Meinung nach am besten für Sie ist.

Medikamente termingerecht einnehmen. Zu wenig zu essen, insbesondere wenn zu wenig gegessen wird, kann zu einem gefährlich niedrigen Blutzucker (Hypoglykämie) führen. Zu viel Nahrung kann Ihren Blutzuckerspiegel erhöhen (Hyperglykämie). Kommunizieren Sie mit Ihrem Diabetes-Gesundheitsteam über die Koordination von Medikamenten und Essenszeiten.

Versuchen Sie, Getränke ohne Zucker zu pflücken. Zucker neigen dazu, die Kalorien höher als alles andere zu machen. E-Zigaretten können einen schnellen Anstieg des Blutzuckers verursachen. Sie sollten sie daher vermeiden, es sei denn, Sie haben Diabetes.

Der Diabetiker wird einen niedrigen Blutzucker haben. Wenn der Blutzucker niedrig ist, kann ein Getränk oder eine Dose Soda, Fruchtpunsch oder andere süße Getränke zu einem hohen Blutzuckerspiegel führen, was zu Anfällen führen kann.

- **Übung**

Es gibt einen weiteren wichtigen Aspekt bei der Behandlung von Diabetes, ganz zu schweigen von Bewegung. Wenn Sie trainieren, verwenden Ihre Muskeln eine Chemikalie auf Zuckerbasis zur Energiegewinnung. Neben regelmäßiger körperlicher Aktivität wird auch die Effizienz des körpereigenen Insulins verbessert.

Wenn diese Faktoren vorhanden sind, kann der Glukosespiegel im Blut gesenkt werden. Je öfter Sie draußen herumlaufen, desto länger halten die Nachwirkungen an. Obwohl es keine Vorbeugung gegen Blutzucker gibt, können selbst milde Aktivitäten wie Hausarbeit, Gartenarbeit und langes Stehen hilfreich sein.

Was zu tun ist:

Holen Sie sich einen Physiotherapie-Behandlungsplan. Finden Sie heraus, welche Übung für Sie am besten geeignet ist. Eine der besten Möglichkeiten, gesundheitsbewusst zu werden, besteht darin, sich mindestens 150 Minuten lang pro Woche anstrengend zu bewegen. Es könnte eine gute Idee sein, jeden Tag ein Programm mit 30 Minuten mäßiger Aktivität zu starten.

Wenn Sie längere Zeit inaktiv waren, möchte Ihr Arzt möglicherweise Ihren gesamten körperlichen Zustand überwachen. Eine ausgewogene Mischung aus Aerobic und Krafttraining wird empfohlen.

Spazieren gehen. Trainiere zur richtigen Zeit. Frühstücken Sie, trinken Sie Kaffee und nehmen Sie Ihre Medikamente ein, bevor Sie trainieren.

Kennen Sie Ihre Ergebnisse. Lassen Sie sich von Ihrem Arzt sagen, wie viel Sie für Ihren Blutzuckerspiegel trainieren müssen.

Überprüfen Sie Ihren Blutzucker. Achten Sie darauf, Ihren Blutzuckerspiegel vor, während und nach dem Training zu überprüfen. In Kombination mit Aktivität können Sie den Blutzuckerspiegel bis zu einem Tag später senken. Achten Sie auf Warnsignale für einen niedrigen Blutzuckerspiegel wie Wackeln, Schwäche, Müdigkeit, Hunger, Benommenheit, Reizbarkeit, Angst oder Verwirrung.

Wenn Sie Insulin verwenden und Ihr Blutzuckerspiegel unter 90 mg / dl oder 5,0 mmol / l liegt, sollten Sie vor dem Training einen kleinen Snack zu sich nehmen, um einen niedrigen Blutzuckerspiegel zu vermeiden.

Halten Sie hydratisiert. Verbrauchen Sie während des Trainings viel Flüssigkeit, da Dehydration den Blutzuckerspiegel beeinflussen kann.

Entspannen. Halten Sie immer einen Snack und Glukosetabletten bereit, falls Ihr Blutzucker zu niedrig ist. Er trägt ein medizinisches Armband.

Ändern Sie den Behandlungsplan nach Bedarf. Wenn Sie Insulin verwenden, sollten Sie Ihre Dosis vor dem Training senken und Ihren Blutzucker nach mehrstündiger anstrengender Aktivität sorgfältig beobachten. Ihr Arzt kann Ihnen bei Änderungen Ihrer Medikamente helfen. Es wird auch empfohlen, Ihre Trainingsroutine bei Bedarf zu erhöhen.

- **Medikamente**

Insulin und andere Diabetes-Medikamente sollen den Blutzuckerspiegel senken, wenn Diät und Bewegung allein nicht ausreichen, um Diabetes zu kontrollieren. Wie gut diese Medikamente wirken, hängt jedoch vom Zeitpunkt und der Größe der Dosis ab. Arzneimittel, die Sie gegen andere Erkrankungen als Diabetes einnehmen, können auch Ihren Blutzuckerspiegel beeinflussen.

Was zu tun ist:

Insulin richtig lagern. Insulin, das nicht ordnungsgemäß gelagert wurde oder dessen Verfallsdatum abgelaufen ist, ist möglicherweise nicht wirksam. Insulin ist besonders empfindlich gegenüber extremen Temperaturen.

Melden Sie Probleme Ihrem Arzt. Wenn Ihre Diabetes-Medikamente Ihren Blutzucker zu niedrig oder konstant zu hoch senken, muss Ihre Dosis oder Ihr Zeitplan möglicherweise angepasst werden.

Seien Sie vorsichtig mit neuen Medikamenten. Wenn Sie die Einnahme eines rezeptfreien Arzneimittels in Betracht ziehen oder wenn Ihr Arzt ein neues Arzneimittel zur Behandlung einer anderen Erkrankung wie Bluthochdruck oder hohem Cholesterinspiegel verschreibt, fragen Sie Ihren Arzt oder Apotheker, ob dies den Glukosespiegel beeinflussen kann. im Blut.

Einige Ärzte schlagen ihren Patienten ein alternatives Medikament vor. Melden Sie Ihrem Arzt immer alle Arzneimittel, die Sie vergessen haben zu überprüfen, da es wichtig ist, keine Arzneimittel einzunehmen, die zu einem Anstieg Ihres Blutzuckerspiegels führen können.

- **Erkrankung**

Wenn Sie krank sind, produziert Ihr Körper stressbedingte Hormone, die Ihrem Körper bei der Bekämpfung von Krankheiten helfen, aber auch Ihren Blutzuckerspiegel erhöhen können. Veränderungen des Appetits und der normalen Aktivität können auch die Diabetes-Kontrolle erschweren.

Was zu tun ist:

Vorausplanen. Erstellen Sie einen Plan für den Fall, dass Sie einen Krankheitstag benötigen. Es ist eine Anleitung, um

Ihren Blutzucker und Ihre Urinketone regelmäßig zu überprüfen und weitere Informationen zum Wechseln von Medikamenten zu erhalten.

Verwenden Sie Ihre Medikamente gegen Diabetes. Wenn die Person jedoch nicht in der Lage ist, das Essen zu essen, wenden Sie sich an Ihren Arzt. In einigen Situationen müssen Sie Ihre Insulindosis anpassen und vorübergehend wirkende Insulin- oder Diabetesmedikamente reduzieren oder abbrechen. Stoppen Sie in der Zwischenzeit nicht das langwirksame Insulin. Es ist wichtig und sehr wichtig, den Blutzuckerspiegel zu speichern und Ihren Blutzuckerspiegel in regelmäßigen Abständen von einem Blutzuckermedikament zu erfassen.

Halten Sie sich an Ihren Speiseplan. Eine gesunde Ernährung hilft dabei, Ihren Blutzuckerspiegel zu kontrollieren. Halten Sie einen Vorrat an leicht verdaulichen Lebensmitteln wie Gelatine, Crackern, Suppen und Apfelmus bereit.

Bleiben Sie hydratisiert, indem Sie viel Wasser oder kalorienfreie Flüssigkeiten wie Tee trinken. Wenn Sie Insulin einnehmen, benötigen Sie möglicherweise zuckerhaltige Getränke wie Saft oder ein Sportgetränk, um eine Hypoglykämie zu verhindern.

- **Alkohol**

Nach dem Konsum eines zuckerhaltigen Getränks setzt die Leber Zucker frei, um dem Abfall des Blutverhältnisses von

Blutzucker zu Sauerstoff entgegenzuwirken. Wenn die Leber jedoch mit dem Metabolisieren von Alkohol beschäftigt ist, empfängt der Blutzuckerspiegel möglicherweise nicht das Signal, das er von der Leber benötigt. Alkohol kann auch nach gleichzeitiger Einnahme einen niedrigen Blutzuckerspiegel verursachen und bis zu 24 Stunden anhalten.

Was zu tun ist:

Sie benötigen eine ärztliche Genehmigung, um Alkohol zu trinken. Alkoholkonsum mit Diabetes kann Nerven und Augen schädigen. Mit gelegentlichen alkoholischen Getränken kann jedoch ein kontrollierter Blutzuckerspiegel aufrechterhalten werden.

Die Einnahme von zwei Getränken Alkohol pro Tag oder von nicht mehr als einem Getränk für Frauen über 65 oder Männer über 40 ist mäßig. Ein Getränk entspricht 12 Unzen Bier, was 5 Unzen Wein oder 1,5 Unzen destilliertem Alkohol entspricht.

Trinken Sie vor dem Essen keinen Alkohol auf nüchternen Magen. Wenn Sie Insulinmedikamente oder andere Diabetesmedikamente einnehmen, befolgen Sie die empfohlene Einnahme von Essen oder Trinken, um einen niedrigen Blutzuckerspiegel zu vermeiden.

Wählen Sie Ihre Getränke sorgfältig aus. Trockene Weine und Biere haben weniger Kalorien und Kohlenhydrate als andere alkoholische Getränke. Wenn Sie Mixgetränke, Diät-Limonaden, Diät-Tonic-Wasser, kohlensäurehaltiges

Wasser oder Seltz-Wasser mögen, erhöhen diese Ihren Blutzuckerspiegel nicht.

Kalorien zählen. Denken Sie daran, Kalorien aus Alkohol in Ihre täglichen Kalorienberechnungen einzubeziehen. Sie sollten Ihren Arzt oder Ernährungsberater fragen, wie Sie alkoholische Getränke in Ihre tägliche Ernährung einmischen können.

Überprüfen Sie vor dem Schlafengehen Ihren Blutzuckerspiegel. Alkohol kann Ihren Blutzuckerspiegel für eine Weile senken, nachdem Sie mit dem Trinken aufgehört haben. Um eine Hypoglykämie zu vermeiden, sollten Sie vor dem Schlafengehen einen Snack einnehmen, wenn der Blutzucker zwischen 100 und 140 mg / dl (5,6 und 7,8 mmol / l) liegt.

- **Menstruation und Wechseljahre**

Änderungen des Hormonspiegels gegenüber der Woche vor und während der Menstruation können zu erheblichen Schwankungen des Blutzuckerspiegels führen.

Was zu tun ist:

Finden Sie Muster. Verfolgen Sie Ihren Blutzuckerspiegel von Monat zu Monat. Möglicherweise können Sie Ihren Menstruationszyklus vorhersagen.

Dieser Behandlungsplan ist nach Bedarf zu ändern. Ihr Arzt hat möglicherweise einige Vorschläge für Sie: Werden Sie aktiver, ändern Sie Ihre Ernährung oder nehmen Sie ein anderes Medikament ein.

Überprüfen Sie Ihren Blutzucker häufiger. Wenn Sie sich den Wechseljahren nähern oder die Wechseljahre durchlaufen haben, ist es wichtig, Ihren Blutzucker häufiger zu überprüfen. Wechseljahrsbeschwerden können manchmal mit niedrigen Blutzuckersymptomen verwechselt werden. Testen Sie daher die Glukose, bevor Sie die niedrige Glukose behandeln. das Blut.

Verhütungsmethoden sind für Frauen mit Diabetes sicher und wirksam. Orale Kontrazeptiva können bei einigen Frauen den Blutzuckerspiegel erhöhen.

- **Stress**

Wenn Sie ein stressiges Ereignis haben, kann Ihr Körper Hormone produzieren, die Ihren Blutzuckerspiegel erhöhen. Wenn Sie unter viel Stress stehen, ist es für Sie schwieriger, Insulininjektionen zu erhalten.

Was zu tun ist:

Versuchen Sie, Muster zu erkennen. Es ist wichtig, den Blutzuckerspiegel so nahe wie möglich zu halten, den Blutzuckerspiegel täglich zu überprüfen und gegebenenfalls anzupassen. Es scheint ein Muster zu geben.

Übernimm die Kontrolle zurück. Sobald Sie wissen, wie sich Stress auf Ihren Blutzucker auswirkt, können Sie ihn minimieren. Versuchen Sie, verschiedene Entspannungstechniken zu erlernen, Prioritäten zu setzen und Grenzen zu setzen. Halten Sie sich von Stresssituationen fern. Übung kann helfen, Stress abzubauen und den Blutzuckerspiegel zu erhöhen.

Hilfe suchen. Verwenden Sie Strategien, um mit Stress umzugehen. Das Gespräch mit einem Psychologen oder klinischen Sozialarbeiter kann helfen, Probleme zu identifizieren, zu lösen oder zu lernen, mit Stresssituationen umzugehen.

Wenn Sie Ihren Blutzuckerspiegel überwachen und überwachen, können Sie Änderungen besser antizipieren und einen entsprechenden Plan erstellen. Wenn Sie Probleme haben, Ihren Blutzucker zu kontrollieren, wenden Sie sich bitte an Ihr Diabetes-Team.

Wie man eine Diabetikerdiät plant

Es ist sehr wichtig, die plötzlichen Veränderungen zu minimieren, die auftreten können, wenn eine neue Diät eingenommen wird. Es wäre daher ratsam, diätetische Austauscher zu verwenden, die einen ähnlichen Kalorienwert wie die alte Diät ausgleichen. Bitte denken Sie daran, dass eine solche Entscheidung nur nach Rücksprache mit einem Arzt getroffen werden kann.

Patienten können ein Produkt aufgeben, wenn das Produkt eine große Anzahl von Kohlenhydraten, Zucker oder künstlichen Inhaltsstoffen enthält. Wenn Sie einfache Kohlenhydrate essen, versuchen Sie, komplexe Kohlenhydrate zu konsumieren. Diabetiker sollten darauf hingewiesen werden, diese einfachen zu essen. Komplexe werden sehr langsam absorbiert, aber sie sind nicht so gefährlich, wenn sie in einer angemessenen Menge konsumiert werden.

Die Ernährung für Diabetiker muss nicht langweilig sein, sondern muss Sie dazu bringen, sie als Ganzes zu betrachten. Sie müssen Lebensmittel aus den fünf Hauptnahrungsmittelgruppen einbeziehen: stärkehaltige Lebensmittel, Obst und Gemüse, Fleisch, Geflügel und Fisch.

Beispielmenüplan für Diabetiker

1 Tag einer Diabetikerdiät

- Frühstück: zwei Sandwiches mit Vollkornroggenbrot, dünn mit Butter (10 g) bestrichen, mit Lendenstück, z. B. Sopot (40 g), Salat (20 g) und Tomate (70 g), Orange (130 g), grünem Tee
- 2. Frühstück: Joghurt (150 g) kombiniert mit Haferflocken (50 g), Haselnüssen (20 g) und Pfirsich (100 g)

- Mittagessen: Dillsuppe (350 g), dann der in Folie gebackene Kabeljau mit Kräutern (180 g) mit braunem Reis (80 g), gekochtem Brokkoli (250 g), Olivenöl (10 g)
- Nachmittagstee: Tomatensaft (300 g)
- Abendessen: leichter Hüttenkäse (150 g), serviert mit Radieschen, Schnittlauch und Gurke.

2. Tag der Diabetikerdiät

- Frühstück: zwei Sandwiches Vollkornbrot (70 g), dünn mit Butter (10 g) bestrichen, für die Sie Putenschinken (40 g), Salat (20 g), Tomate (50 g), Pfeffer (80 g) verwenden können. mit Ausnahme dieser Nektarine (100 g) und des roten Tees
- 2. Frühstück: Himbeeren (150 g) mit Kefir (300 g) - es kann kombiniert werden
- Mittagessen: Tomatencremesuppe (350 g), dann mageres Kalbfleisch (150 g), gedünstet mit Sellerie (50 g), Chicorée (40 g), Paprika (80 g), Pilzen (60 g) und Tomaten (60 g) Olivenöl (10 g) plus zwei Salzkartoffeln (150 g)
- Nachmittagstee: Hüttenkäse mit Schnittlauch (200 g) und Mungobohnensprossen (20 g) plus Grapefruit (170 g)

- Abendessen: Omelett mit Spinat (160 g) und Knoblauch-Karotten-Apfelsalat (80 g)

3. Tag der Diabetikerdiät

- Frühstück: zwei Scheiben Pumpernickelbrot (90 g), mit Weißkäse (100 g), Radieschen (30 g) bestrichen, Sie können Getreidekaffee mit 1,5% Milch, Kiwi (100 g) trinken
- 2. Frühstück: Birne (100 g) mit 1,5% Joghurt (250 g) und Müsli (50 g)
- Mittagessen: roter Borschtsch (350 g), hautloses Hähnchenbrustfleisch (180 g), gedünstet mit Zucchini (100 g) und Tomaten (250 g), plus Olivenöl (10 g), Petersilie, Dill anstelle von Kartoffel-Buchweizengrütze (80 g) .
- Nachmittagstee: Gemüsesaft (300 g)
- Abendessen: Thunfisch in seiner Sauce (150 g), serviert mit Salat (40 g), Mais (30 g), Tomate (50 g)

4. Tag der Diabetikerdiät

- Frühstück: hart gekochtes Ei (100 g), ein überbackenes Brötchen mit Körnern (70 g), bestrichen mit Butter (10 g) sowie Radieschen (30 g), Gurke (50 g), Birne (150 g) und grüner Tee
- 2. Frühstück: Chinakohl, Pfeffer und Kleinsalzgurkensalat (120 g)

- Mittagessen: Pilzsuppe (350 g), dann Kabeljau-Fleischbällchen (120 g), serviert mit Gerstengrütze (80 g), Blumenkohl (80 g) und Gurkensalat mit Joghurt (60 g)
- Nachmittagstee: Hüttenkäse 3% (150 g) mit Sonnenblumenkernen (20 g), Kürbiskernen (20 g) und Nektarine (100 g)
- Abendessen: Behandlung (400 g), bestehend aus: Hühnerbrust (130 g), Pfeffer (45 g), Zucchini (45 g), Auberginen (45 g), Pilzen (45 g), Tomaten (45 g), Sellerie (45 g)

5. Tag der Diabetikerdiät

- Frühstück: zwei Sandwiches Vollkornbrot (60 g), serviert mit z. B. Bieluch (100 g), Gurke (40 g), Schnittlauch, Pfeffer (80 g) und einem Apfel (100 g)
- 2. Frühstück: Amerikanische Blaubeere (150 g) mit Joghurt (150 g)
- Mittagessen: Blumenkohlsuppe (350 g), dann Paprika gefüllt mit Paprika (400 g), Hühnerbrust (100 g), Pilzen (50 g), Zucchini (40 g), Zwiebel (20 g), Sellerie (50 g) plus Sauerkraut (120 g) und Olivenöl (15 g)
- Nachmittagstee: frischer Ananassalat (50 g), Wassermelone (50 g), Orange (50 g)

- Abendessen: Risotto mit Geflügelfleisch und Gemüse (200 g)

KAPITEL DREI
FAQ zur Diabetes-Diät

Wenn Sie mit Diabetes leben, müssen Sie Ihre Ernährung ändern, um den Glukosespiegel besser kontrollieren zu können. Manchmal können jedoch bei so vielen Optionen Zweifel auftauchen und bei der Auswahl einige Fehler machen. Hier sind einige häufig gestellte Fragen zum Essen bei Diabetes.

1. Sollten Menschen mit Diabetes nur leichte Produkte konsumieren?

Nicht unbedingt. Licht bedeutet nicht immer zuckerfrei. Es ist ein Begriff, der angibt, dass diese Produkte weniger Kalorien enthalten als das Referenzlebensmittel. Es können jedoch Produkte sein, die reich an Fett oder Natrium sind. Licht ist nicht gleichbedeutend mit frei oder gesund.

2. Sind leichte Produkte frei zu konsumieren?

Nein, wie gesagt, leichtes Essen ist nicht gleichbedeutend mit kostenlos. Es ist notwendig, die Nährwertinformationen des Produkts zu überprüfen, da einige fettarm sein können und nicht unbedingt Kalorien und Kohlenhydrate enthalten, die den Glukosespiegel erhöhen können.

3. Wie viele Liter Wasser soll ich wann trinken?

Es wird empfohlen, das Wasser den ganzen Tag über einzunehmen, nicht zu einer einzigen Tageszeit und vorzugsweise natürlich. Ideal ist es, kleine Schlucke zu trinken und 1500 ml bis 2000 ml über den Tag zu konsumieren, um die Flüssigkeitszufuhr und ein geeignetes Gewicht aufrechtzuerhalten.

4. Kann ich bei Diabetes Süßigkeiten und Desserts essen?

Wenn Sie an Diabetes leiden, müssen Sie Ihre Essgewohnheiten ändern, um eine bessere Glukosekontrolle zu erreichen. Denn mit Diabetes zu leben bedeutet nicht, dass Sie sich Süßigkeiten und Desserts komplett entziehen müssen. Sie können sie in geringerer Menge konsumieren, oder für Ihr Verlangen nach süßem Diabetes können Sie sich für zuckerfreie, fettfreie oder glutenfreie Optionen entscheiden. Eine andere Möglichkeit ist, sie zu Hause mit Früchten zuzubereiten. Solange es in Maßen und selten gemacht wird, wird es in Ordnung sein. Wir bieten kalorienarme Süß- und Dessertoptionen an, aber wir wiederholen viele davon auf einer "Moderations" - Skala.

5. Wenn ein Produkt "zuckerfrei" sagt, kann ich es frei konsumieren?

Selbst wenn ein Produkt "zuckerfrei" sagt, sollte es nicht frei konsumiert werden, wenn es Kalorien oder Kohlenhydrate zur Glukosekontrolle enthält.

Einige Produkte werden mit Fructose anstelle von Haushaltszucker gesüßt, Fructose ist jedoch wie Honig ein natürlicher Süßstoff. Sobald sie sich im Körper befinden, werden sie in Glukose umgewandelt und erhöhen daher wie Haushaltszucker die Glukose im Blut. Daher ist es sehr wichtig zu lesen, was dieses Produkt anstelle von Zucker enthält.

Es muss auch berücksichtigt werden, dass ein Produkt ohne Zucker hergestellt werden kann, aber es kann reich an Fett, Salz oder Protein sein.

6. Kann ich bei Diabetes Fruchtsäfte trinken?

Die Frucht ist ein empfohlenes und notwendiges Lebensmittel. Der beste Weg, die Ballaststoffe und Vitamine in den Früchten zu nutzen, besteht darin, sie zu verzehren, ohne sie zu verflüssigen. Wenn sie verflüssigt werden, besteht außerdem das Risiko, dass der Glukosespiegel schneller ansteigt, da Fruktose (der in Früchten enthaltene Zucker) schneller absorbiert wird. Dies erhöht den Blutzuckerspiegel) zusätzlich zu der Tatsache, dass beim Verflüssigen der Frucht die Faser, die sie beiträgt, verloren geht und einem Oxidationsprozess unterzogen wird. Daher ist es am besten, die gebissenen Früchte zu essen, nicht gemischt.

7. Senkt Haferflocken den Glukosespiegel?

Haferflocken enthalten eine gute Menge an Ballaststoffen, die dazu beitragen, dass der Zucker in Lebensmitteln nicht so schnell steigt, im Gegensatz zu Lebensmitteln, die keine Ballaststoffe enthalten. Hafer senkt jedoch nicht den Glukosespiegel, um als Ersatzbehandlung für Kontrolldiabetes verwendet zu werden.

8. Hilft der Kaktus bei der Kontrolle des Glukosespiegels?

Das Nopal enthält eine gute Menge an Ballaststoffen und andere großartige Eigenschaften, die es zu einem sehr wertvollen Lebensmittel machen. Im Falle von Diabetes hilft eine große Menge an Ballaststoffen, die Aufnahme von Zucker und Fetten zu verzögern, was zur Verbesserung des Spiegels von Ballaststoffen beiträgt Glukose beim Verzehr. Die Wirkung ist jedoch nicht langfristig, so dass sie wie Haferflocken als Ersatzbehandlung für die Diabetes-Kontrolle nicht empfohlen wird.

KAPITEL VIER

Diabetes-freundliche Rezepte

Zimtsterne (auch für Diabetiker geeignet)

Zutaten

- 200 g Mandeln (ungeschält, gerieben)
- 300 g Puderzucker
- 100 g Walnüsse (gerieben)
- 75 g Arancini (fein gehackt)
- 10 g Zimt
- 1 Stück Eiweiß

Für die Zitronenglasur:

- 200 g Puderzucker
- 1 Stück Eiweiß
- 2 EL Zitronensaft

Vorbereitung

1. Für die Zimtsterne alle Zutaten zu einer festen Masse kneten und ca. 5 mm dick.

2. Für die Zitronenglasur Puderzucker sieben, mit Eiweiß und Zitronensaft dick mischen und in einem Wasserbad etwas aufwärmen.
3. Den Teig mit Zitronenglasur bestreichen. Sterne mit einem Sternschneider (Durchmesser 6 cm) ausschneiden und auf ein mit Backpapier ausgelegtes Backblech legen.
4. Die Zimtsterne im auf 150 ° C vorgeheizten Backofen ca. 15 Minuten backen.

Buttermilchbrötchen

Zutaten

- 250 g Vollkornmehl
- 200 g Weizenmehl (fein)
- 1 Packung Germ
- 1 EL Salz
- 1 EL Kümmel
- 1/2 l Buttermilch
- Besprühen:
- 10 g Kümmel

Vorbereitung

1. Um den Teig für die Hamburgerbrötchen zu mischen, Mehl und zerkleinerten Weizen in eine Rührschüssel geben und mit der Hefe kombinieren. Nehmen Sie einen kleinen Topf und passen Sie einen dünnen Brunnen in die Mitte. Salz, Samen und Buttermilch werden hinzugefügt. Dann kneten und 4 Minuten auf der höchsten Stufe einmassieren. Lassen Sie den Teig aufgehen und legen Sie ihn für ca. 40 Minuten an einen wärmeren Ort.
2. Den Teig nochmals gut kneten und in halbmondförmigen Stücken ausrollen. Lassen Sie den Brotteig noch 30 Minuten gehen. Putzen Sie Ihre Zähne mit warmem Wasser und bestreuen Sie sie mit Kümmel. Dann ist es besser, wenn wir sie im vorgeheizten Ofen bei 200 ° C etwa 50 bis 60 Minuten backen.

Steirischer Bauernsalat mit Schafskäse

Zutaten

- 100 g grüner Salat (Bummerl-Salat, Lollo Rosso usw.)
- 1 Gurke (klein)

- 1 Tomate
- 50 g Schafskäse
- 2 Teelöffel Kürbiskernöl
- 1 EL Weinessig
- 2 EL Kürbiskerne
- Petersilie (gehackt)
- Basilikum (gehackt)
- Salz-
- Pfeffer

Vorbereitung

1. Teilen Sie die gewaschenen Salate in mundgerechte Stücke. Die Gurke in ca. 3 cm lange Stücke schneiden und leicht salzen. Die Tomate waschen, in Scheiben schneiden und den Schafskäse in Würfel schneiden. Den Salat in eine Schüssel geben. Salz und Pfeffer.
2. Braten Sie die Kürbiskerne in einer beschichteten Pfanne ohne Fett, bis sie schön fest sind, und fügen Sie sie zusammen mit den Tomaten, Kräutern und Gurken hinzu.
3. Mit Weinessig und Kürbiskernöl marinieren und alles vorsichtig mischen.
4. Den Schafskäse über den Salat streuen.

Fischsuppe mit Frühlingszwiebeln und Chili

Zutaten

- 600 g gemischte Fischfilets (Bachforelle, Forelle, Wolfsbarsch, Karpfen usw.)
- 1 Zucchini
- 2 Stäbchen Frühlingszwiebeln
- Jeweils 2 Schoten grüne und rote Chilis
- 1 Liter Wasser oder Fischbrühe
- 2 Knoblauchzehen
- 1 EL Paprikapulver
- Salz Pfeffer

Vorbereitung

1. Für die Fischsuppe die entbeinten Fischfilets in mundgerechte Stücke und die Zucchini in halbmondförmige Scheiben schneiden. 1 cm dick.
2. Frühlingszwiebeln und Chilischoten diagonal in 1 cm lange Stücke schneiden. Knoblauch fein hacken.
3. Wasser oder Fischbrühe in einem Topf zum Kochen bringen. Fisch, Zucchini, Chili und Zwiebeln dazugeben und ca. 3-4 Minuten zum Kochen

bringen. Jetzt mit Knoblauch, Paprikapulver, Salz und Pfeffer würzen.

4. Gießen Sie die heiße Fischsuppe in vorgeheizte Schalen und servieren Sie sie.

Hühnerbrust Diavolo

Zutaten

- 2 Stück Hähnchenbrust (je ca. 400 g, mit Haut)
- 1 Teelöffel Cayennepfeffer (oder 1Kl Peperoncino)
- 1 Prise Muskatnuss (frisch gerieben)
- 1 Prise Zimt
- 4 Knoblauchzehen
- 2 Zweige Rosmarin
- 4 EL Olivenöl

- Hühnersuppe (zum Aufgießen)
- Meersalz (aus der Mühle)

Vorbereitung

1. Mischen Sie Olivenöl, Meersalz, Cayennepfeffer, Muskatnuss und Zimt zu einer Marinade und bürsten Sie die Hähnchenbrust auf beiden Seiten.
2. Legen Sie die Hähnchenbrust mit der Haut nach unten in eine erhitzte Pfanne und braten Sie sie bei mittlerer Hitze, bis das Fleisch von unten (und damit durch) weiß wird.
3. Braten Sie die leicht gepressten Knoblauchzehen und Rosmarinzweige in derselben Pfanne, um den Geschmack zu verbessern. Sobald die Brüste fast vollständig gekocht sind, drehen Sie sie um und braten Sie weitere 1-2 Minuten.
4. Knoblauchzehen und Rosmarin entfernen. Brüste herausheben und halbieren. Gießen Sie etwas Hühnersuppe auf den Braten und lassen Sie ihn kurz einkochen. Legen Sie die Hähnchenbrust auf vorgewärmte Teller und gießen Sie die Soße darüber (gießen Sie sie niemals darüber), damit die Haut knusprig bleibt.

Zanderfilet mit Kohl und Rüben

Zutaten

- 600 g Zanderfilet (mit Haut)
- 200 g Kohlrabi
- 200 g Kohl (frisch)
- 2 EL Butter
- 60 ml Weißwein (trocken)
- 250 ml Gemüsebrühe
- 1 EL saure Sahne (bis zu 2)
- 1 Zweig Thymian
- Olivenöl (beste Qualität zum Braten)
- Salz-
- Pfeffer (aus der Mühle)
- Muskatnuss (gemahlen)
- Wasabipaste (oder Meerrettich)
- 1 Prise Kreuzkümmel (gemahlen)
- einige Zitronensäfte
- 2 EL Petersilie (frisch gehackt)

Vorbereitung

1. Für das Zanderfilet den Kohl fein reiben und den Kohlrabi in etwa 1/2 cm große Würfel schneiden.

Butter in einem Topf schmelzen und Kohl mit Kohlrabi darin anbraten. Mit Weißwein ablöschen und die Gemüsebrühe einfüllen.

2. Mit Salz, Pfeffer und Muskatnuss würzen und ca. 5 Minuten köcheln lassen. Die saure Sahne einrühren und das Gemüse cremig rühren. Zum Schluss mit Kümmel und Zitronensaft würzen und warm halten.
3. Die sorgfältig entbeinten Zanderfilets in Stücke schneiden. Mit Salz und Pfeffer würzen und kräftig mit Wasabipaste einreiben.
4. Olivenöl in einer Pfanne erhitzen und die Filets mit der Haut nach unten kräftig braten. Den Kochrückstand wiederholt übergießen. Den Thymianzweig dazugeben und die Filets wenden.
5. Kohl und Rübengemüse auf vorgeheizten Tellern anrichten. Die Zanderfilets auf das Gemüse legen und mit frischer Petersilie bestreuen.

Gurkensalat

Zutaten

- 1 Gurke (groß oder 2 klein)
- Weißweinessig
- Pflanzenöl
- Salz-
- Pfeffer (aus der Mühle)
- Paprikapulver (edel süß, wie gewünscht)
- 1 Knoblauchzehe (n)

Vorbereitung

1. Die Gurken schälen und mit einer Gurkenscheibe fein schneiden.
2. Die Gurke salzen und 10-20 Minuten stehen lassen.
3. Dann drücke es gut aus.
4. Machen Sie eine Marinade aus Essig, Öl, zerkleinertem Knoblauch und Pfeffer, rühren Sie sie in die Gurke und servieren Sie sie mit Paprikapulver, wenn Sie möchten.

Weißer Spargel in Schinken gewickelt

Zutaten

- 12 Stick Spargel (weiß)
- 12 Scheiben Schinken (Ihrer Wahl)

- 8 Kirschtomaten
- 100 g Mozzarella
- Salz-
- Pfeffer
- Öl (nach Wahl)
- Salat (Ihrer Wahl, mariniert)

Vorbereitung

1. Den Spargel waschen und schälen, die unteren Holzteile abbrechen. Im Dampfgarer bei 100 ° C ca. 10-15 Minuten al dente kochen. Wenn Sie keinen Dampfgarer haben, bereiten Sie den Spargel auf traditionelle Weise zu.
2. In der Zwischenzeit den Salat Ihrer Wahl marinieren.
3. Die Tomaten blanchieren und in kleine Würfel schneiden. Schneiden Sie auch den Mozzarella in kleine Würfel.
4. Die gekochten Spargelstangen kurz abschrecken und mit einem Stück Schinken umwickeln.
5. Vor dem Servieren den marinierten Salat auf einen Teller legen, die Spargelstangen darauf legen und mit den Tomaten und Mozzarellawürfeln dekorieren.
6. Mit hochwertigem Öl Ihrer Wahl beträufeln und bei Bedarf mit Salz und Pfeffer bestreuen.

Rindfleisch-Carpaccio mit Senfsauce

Zutaten

- 70-100 g Rinderlungenbraten
- 1 EL Olivenöl
- 1 Teelöffel Dijon-Senf
- 1 Spritzer Zitronensaft
- Salz-
- Pfeffer
- Olivenöl (für die Folie nach Bedarf)
- Parmesan (jung, zum Schneiden)
- Rucolasalat (marinierter oder Frisée-Salat zum Garnieren)
- Für die Senfsauce:
- 1 EL Mayonnaise (leicht)
- 1 Teelöffel Dijon-Senf

Vorbereitung

1. Für das Rindfleisch-Carpaccio mit Senfsauce den Rinderlungenbraten fest in Folie einwickeln, leicht einfrieren und vor dem Servieren mit einem Slicer

dünn schneiden. Das Olivenöl und den Dijon-Senf kreisförmig auf einem Teller verteilen. Mit Salz, frisch gemahlenem Pfeffer und einem Schuss Zitronensaft bestreuen oder beträufeln.

2. Dann die dünnen Filetscheiben dekorativ auf den gewürzten Gaumen legen. Für die Senfsauce die Mayonnaise mit dem Senf glatt rühren. In ein Steak (mit feiner Öffnung) aus Backpapier gießen und dekorativ auf das Carpaccio streuen. Den Parmesan in Scheiben schneiden. Mit mariniertem Rucola oder Frisée-Salat garnieren.

Gebratene Auberginen mit Feta-Aufstrich

Zutaten

- 1 Aubergine
- 2 EL Olivenöl
- Salz-
- Pfeffer

Für den Feta-Aufstrich:

- 250 g Schafskäse (griechisch)
- 7 EL Olivenöl
- 4 EL Kürbiskerne (geröstet, fein gehackt)

- 2 Zehen Knoblauch
- 5 EL Basilikum
- Salz-
- Pfeffer

Vorbereitung

1. Auberginen waschen und in Scheiben schneiden. Beidseitig in Olivenöl anbraten und mit Salz und Pfeffer würzen. Mit Feta-Aufstrich und grünem Salat servieren.

Feta-Aufstrich:

2. Den Schafskäse mit einer Gabel zerdrücken und Olivenöl glatt rühren. Kürbiskerne, Knoblauch und Basilikum fein hacken und untermischen. Mit Salz und Pfeffer abschmecken. Mit Basilikumblättern und gerösteten ganzen Kürbiskernen garnieren.

Asiatische Schinkencreme

Zutaten

- 100 g Mango
- 100 g Ananas
- 100 g Schinken (mager)

- 100 g Quark
- 1 Prise Currypulver
- Pfeffer

Vorbereitung

1. Für die asiatische Schinkencreme Schinken, Mango und Ananas in Würfel schneiden und in eine Schüssel geben.
2. Den Quark dazugeben und mit dem Stabmixer fein pürieren.
3. Die asiatische Schinkencreme mit Curry und Pfeffer würzen.

Blätterteigbrötchen mit Tomaten und Basilikum

Zutaten

- 200 g Blätterteig
- 200 g Tomaten (geschält, gewürfelt)
- 4 Tomaten (getrocknet)

- 1 Knoblauchzehe (n)
- 1 EL Olivenöl
- 1 EL Basilikum (gehackt)
- Salz-
- Pfeffer
- Tabasco

Vorbereitung

1. Für die Blätterteigbrötchen mit Tomaten und Basilikum den Knoblauch schälen und fein hacken und kurz in Olivenöl rösten. Fügen Sie die gewürfelten Tomaten hinzu, schneiden Sie die getrockneten Tomaten in kleine Stücke und rühren Sie sie ein. Fügen Sie das Basilikum hinzu, würzen Sie es mit Salz, Pfeffer und Tabasco und lassen Sie es abkühlen.
2. Den Blätterteig dünn ausrollen, die Füllung verteilen und aufrollen. In Stücke schneiden ca. 2 cm dick.
3. Auf ein mit Backpapier ausgelegtes Backblech legen und
4. Im auf 180 ° C vorgeheizten Backofen ca. 15 Minuten goldbraun backen.

Ziegentopf mit Aprikosenstücken bestrichen

Zutaten

- 1 Zwiebel (klein, rot)
- 5 Aprikosen (getrocknet)
- 2 EL Sonnenblumenkerne
- 250 g Ziegenquark
- 50 g Acidophilus-Milch
- 1 EL Akazienhonig
- Salz-
- Cayenne Pfeffer
- 2 EL Schnittlauch

Vorbereitung

1. Für den Ziegentopfaufstrich die Aprikosen in kleine Würfel schneiden, die Sonnenblumenkerne leicht anbraten.
2. Den Ziegenquark mit der Acidophilus-Milch und dem Akazienhonig glatt rühren, mit Salz und Cayennepfeffer würzen.
3. Die gehackten Zwiebeln, Aprikosenwürfel und den gehackten Schnittlauch unter die Mischung heben und abschmecken.

4. Den fertigen Ziegentopf in einen kleinen Topf geben und mit gehackten Sonnenblumenkernen bestreuen.

Muffins mit Parmesan und Basilikum

Zutaten

- 1 Stück Ei
- 75 g Vollkornmehl
- 1/2 Teelöffel Backpulver
- 200 g Hüttenkäse
- 4 EL Parmesan (gerieben)
- 2 EL frisches Basilikum (grob gehackt)
- 1 EL Margarine

Vorbereitung

1. Für die Muffins mit Parmesan und Basilikum alles vermischen und in 4 Muffinformen geben.
2. 20 Minuten bei 200 ° C backen.
3. Mit frischen, geschnittenen Früchten servieren.

Mexikanisches Maisbrot

Zutaten

- 2 rote Chilischoten
- 6 Jalapeños (Glas)
- 50 g Butter
- 200 g Vollkornmehl
- 1 Päckchen Backpulver
- Salz-
- 325 g Maiskörner
- 500 ml Buttermilch
- 50 g flüssiger Honig
- 2 Eier
- 1 EL Rapsöl

Vorbereitungsschritte

1. Die Chilischoten längs halbieren, die Kerne entfernen, waschen und hacken.
2. Jalapeños fein hacken. Die Butter schmelzen und etwas abkühlen lassen.

3. Mehl, Backpulver und 1 Teelöffel Salz in eine Schüssel sieben und mit den Maiskörnern mischen.
4. Mischen Sie Buttermilch, Honig, Eier und geschmolzene Butter zusammen.
5. Fügen Sie dem Mehl zusammen mit den Chilischoten und Jalapeños hinzu und rühren Sie alles zu einem glatten Teig.
6. Eine 30 cm lange Laibpfanne mit Öl bestreichen und den Teig hinzufügen. Im vorgeheizten Backofen im 2. Regal von unten auf einem Rost bei 180 ° C (Heißluftofen: 160 ° C, Gas: Stufe 2–3) 35–40 Minuten backen.
7. Lassen Sie das Maisbrot 10 Minuten in der Dose abkühlen, stellen Sie es dann auf einen Ofenrost und lassen Sie es vollständig abkühlen. Maisbrot schmeckt einfach mit Butter bestrichen, passt aber auch gut zu Chilischoten und Eintöpfen.

Kichererbsen-Spinat-Topf

Zutaten

- 350 g getrocknete Kichererbsen
- 300 g gefrorener Blattspinat
- 2 große Zwiebeln
- 2 Knoblauchzehen
- 6 reife Tomaten
- 2 Zweige Rosmarin
- 2 EL Olivenöl
- 1 EL Agavensirup
- 2 Lorbeerblätter
- 1 Prise Chilipulver
- Kreuzkümmel
- Salz-

Vorbereitung

1. Die Kichererbsen über Nacht in reichlich Wasser einweichen.
2. Gießen Sie am nächsten Tag das eingeweichte Wasser ab, bringen Sie die Kichererbsen in doppelter Menge Wasser zum Kochen und köcheln

Sie bei schwacher Hitze etwa 35 Minuten lang, bis sie weich sind.

3. In der Zwischenzeit den Spinat auftauen lassen.
4. Zwiebeln schälen, halbieren und in kleine Würfel schneiden. Knoblauch schälen und hacken. Tomaten mit kochendem Wasser anbrühen, in kaltem Wasser abspülen, schälen, halbieren, entkernen und würfeln. Rosmarin waschen, trocken schütteln und Nadeln zupfen.
5. Die Kichererbsen abtropfen lassen und die Flüssigkeit auffangen.
6. Öl und Agavensirup in einem großen Topf erhitzen. Dämpfen Sie die Zwiebeln und den Knoblauch darin bei mittlerer Hitze, bis sie durchscheinend sind. Fügen Sie die Kichererbsen nach Bedarf mit etwas Flüssigkeit, Rosmarin, Lorbeerblättern, Chilipulver und Kreuzkümmel hinzu und lassen Sie sie 15 Minuten bei schwacher Hitze köcheln.
7. Tomaten und Spinat dazugeben und weitere 15 Minuten köcheln lassen. Mit Salz abschmecken und servieren.

Sellerie-Apfelsalat

Zutaten

- 1 Selleriewurzel
- 2 kleine boskop Äpfel
- 2 EL Zitronensaft
- 1 TL Apfelessig
- 1 TL Walnussöl
- 2 EL Mandelflocken
- 2 Zweige
- Petersilie

Vorbereitung

1. Den Apfel waschen, halbieren, den Kern entfernen. Den Sellerie schälen, harte Stellen entfernen, beide grob reiben. Zitronensaft mit Essig und Öl mischen, unter den Salat mischen.
2. Die Mandeln in einer Pfanne ohne Fett anbraten, darüber streuen. Die Petersilienblätter fein zupfen und ebenfalls darüber streuen.

KAPITEL FÜNF

Backen für Diabetiker

Feiner Schokoladenkuchen mit Mürbeteig

Zutaten

- 185 g Vollkorn-Dinkelmehl
- 25 g Kakaopulver stark entölt
- 1 Prise Salz
- 35 g Rohrohrzucker
- 110 g Butter
- 1 Eis
- Hülsenfrucht zum Blindbacken
- 350 g dunkle Schokolade 70% Kakaogehalt
- 175 ml Schlagsahne
- 2 Eigelb (e)
- fleur de sel zum bestreuen

Vorbereitungsschritte

1. Mehl mischen und Kakaopulver, Salz und Zucker hinzufügen. Fügen Sie 90 g Butter und ein mittelgroßes Ei hinzu und machen Sie mit Ihren Händen einen glatten cremigen Teig. Mit der Plastikfolie 30 Minuten abdecken.
2. Rollen Sie Ihren Teig auf einer bemehlten Oberfläche aus und legen Sie bei Bedarf ein Stück Butter in die Pfanne. Halten Sie die Hülsenfrüchte mehrmals mit einer Gabel unter den Boden, bedecken Sie sie mit Backpapier und legen Sie die Enden nach unten, um einen Kojoten im Hülsenfruchtstil zu erhalten. Schalten Sie beim Backen einen vorgeheizten leichten Ofen auf eine Heißluftofentemperatur ein oder es wurde ein Gasstand von 25 bis 30 Minuten bei hoher Temperatur im Ofen für knuspriges Brot ermittelt. Nehmen Sie es als nächstes heraus, entfernen Sie das Papier und die Erdnüsse vorsichtig und lassen Sie es abkühlen.
3. Während Sie warten, hacken Sie die Schokolade grob und schmelzen Sie sie über einem heißen Wasserbad. Nehmen Sie 2 Esslöffel heraus, legen Sie sie auf den Boden und verteilen Sie sie gleichmäßig mit einem Pinsel. Für die Apfelsauce ca. 15 Minuten in den Kühlschrank stellen.
4. Fügen Sie die Creme zusätzlich zum kleineren Schokoriegel zum größeren Schokoriegel hinzu. Zuerst das Eigelb nacheinander hinzufügen und

dann umrühren. Fügen Sie die restlichen Butterstücke hinzu und rühren Sie weiter. Streuen Sie die medizinische Creme über den ganzen Boden und lassen Sie sie mindestens zwei Stunden lang ruhen.

5. Zum Servieren mit feinstem Meersalz bestreuen.

Quark-Nussbrot

Zutaten

- 110 g Olivenöl für die Tontöpfe
- 300 g Vollkorn-Dinkelmehl
- 300 g Vollkornroggenmehl
- ¼ TL gemahlener Anis
- ¼ TL Fenchelpulver
- ¼ TL gemahlene Kümmel
- ¼ TL gemahlener Koriander
- 2 TL Backpulver
- 250 g fettarmer Quark
- 180 ml Milch (3,5% Fett)
- 2 Eier
- 1 EL Salz

- 80 g gehackte Walnusskerne

Vorbereitungsschritte

1. Sieben Sie beide Mehlsorten mit einer Mischung aus Backpulver und Gewürzen in eine Schüssel. Sobald Sie der Mischung Quark hinzugefügt haben, fügen Sie 150 ml Milch, Eier und 100 ml Öl und Salz hinzu. Kombinieren Sie alle Zutaten mit dem Handmixer, z. B. einem Küchenhelfer-Mixer, zu einem Teig. Wenn Mehl nicht ausreicht, etwas mehr Mehl hinzufügen.
2. Legen Sie die Walnüsse auf ein Stück bemehltes Pergamentpapier und kneten Sie sie im Teig. Teilen Sie den Teig für maximale Knusprigkeit in Drittel. Formen Sie den Teig zu Kugeln und formen Sie den Teig mit gefetteten Händen zu Kugeln. Tragen Sie die Sahne auf den Rest der Milch auf. Stellen Sie in einem gut gewürzten Gusseisentopf etwas Wasser auf den Boden und stellen Sie es in einen vorgeheizten Ofen mit Konvektion und Gas auf Stufe 3. Nach kurzer Zeit drehen Sie die Hitze herunter und setzen Sie das Backen etwas länger fort, um sicherzustellen, dass es vorhanden ist genug Feuchtigkeit im Fleisch.
3. Nehmen Sie den Kuchen nach dem Backen aus dem Ofen und lassen Sie ihn kurz abkühlen.

Low Carb Haselnuss Makronen

Zutaten

- 3 Eier
- 1 TL Zitronensaft
- 100 g feines Birkenzuckerpulver (Xylit)
- ½ Vanilleschote
- 250 g gemahlene Haselnusskerne
- ½ TL Zimt

Vorbereitungsschritte

1. Eier trennen (sonst Eigelb verwenden). Das Eiweiß mit Zitronensaft in einer Schüssel mit dem Schneebesen des Handmixers schaumig schlagen, nach und nach Xylit einfüllen und die Mischung schlagen, bis sie einen Punkt hat.
2. Die Vanilleschote längs halbieren und das Fruchtfleisch mit einem Messer herauskratzen. Die Haselnüsse mit Vanillepulpe und Zimt mischen und unter die Schlagsahne heben.
3. Gießen Sie die Mischung in einen Spritzbeutel mit einer großen perforierten Düse und spritzen Sie

kleine Punkte auf ein mit Backpapier ausgelegtes Backblech. Im vorgeheizten Backofen bei 160 ° C (Konvektion 140 ° C; Gas: Einstellung 1–2) 15–20 Minuten backen.

4. Entfernen, mit dem Backpapier vom Backblech nehmen und abkühlen lassen.

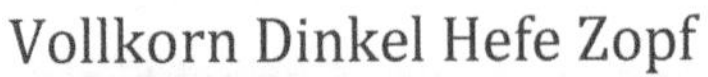

Vollkorn Dinkel Hefe Zopf

Zutaten

- ½ Würfelhefe
- 300 ml Milch (1,5% Fett)
- 3 EL Honig
- 1 Ei
- 1 Prise Salz
- 550 g Vollkorn-Dinkelmehl
- 50 g Butter bei Raumtemperatur

Vorbereitungsschritte

1. Die Hefe in der Milch auflösen. Honig, Ei und Salz einrühren.

2. Mehl einrühren. Arbeiten Sie in Butter und fügen Sie bei Bedarf etwas mehr Mehl oder Milch hinzu.
3. Den Teig 10 Minuten lang kneten und wieder in die Schüssel geben. Dann abdecken und an einem warmen und zugfreien Ort ca. 45 Minuten bis zur doppelten Größe.
4. Den Teig wieder gut kneten, in 3 gleiche Stücke teilen und die Stücke zu etwa 50 cm langen Rollen formen. Verwenden Sie es, um ein Geflecht auf einer leicht bemehlten Arbeitsfläche zu machen. Drücken Sie die Enden gut zusammen.
5. Vollkornhefe geflochten auf ein mit Backpapier ausgelegtes Backblech legen und abdecken und an einem warmen, zugfreien Ort weitere Minuten gehen lassen.
6. Stellen Sie einen ofenfesten Behälter mit kochendem Wasser auf den Boden des Ofens und backen Sie den Vollkorn-Dinkelhefezopf in einem vorgeheizten Ofen bei 180 ° C (obere / untere Hitze) etwa 40 Minuten lang. Nach ca. 20 Minuten mit einem Stück Backpapier abdecken, damit es nicht zu dunkel wird.

- Ciabatta klebt an Oliven

Zutaten

- 125 g grüne Oliven (ohne Steine)
- 125 g schwarze Oliven (ohne Steine)
- 150 g sonnengetrocknete Tomaten
- ½ Würfelhefe
- 520 g Vollkorn-Dinkelmehl
- ½ TL Salz
- 1 TL Honig
- 3 EL Olivenöl

Vorbereitungsschritte

1. Oliven und sonnengetrocknete Tomaten hacken. Die Hefe in 350 ml lauwarmem Wasser auflösen.
2. Die gelöste Hefe, 500 g Mehl, Salz und Honig mit dem Teighaken eines Handmixers zu einem glatten Teig verarbeiten. 2 Esslöffel Olivenöl einrühren, dann die Oliven und Tomaten unterheben.
3. Schütteln Sie die Schüssel mit dem Teig darin aus, gießen Sie Öl in die Schüssel und mischen Sie die

beiden, lassen Sie den Teig in der Schüssel aufgehen und legen Sie ihn zum Backen wieder in den Ofen.

4. Den Teig großzügig mit sehr feinem Mehl auf eine gut bemehlte Arbeitsfläche streuen und den Teig zu einer Scheibe formen. Weiche die Bohnen anderthalb Stunden lang ein, lege sie dann in eine Schüssel, drücke das zusätzliche Wasser mit deinen Händen heraus und hacke sie fein, ohne sie zu kneten, so dass sie einen Durchmesser von ungefähr 1/4 Zoll haben. Legen Sie die rechteckigen Stücke auf ein mit Backpapier ausgelegtes Backblech und lassen Sie zwischen jedem vertikalen Stück genügend Platz. Legen Sie den Stein zum Backen tief in eine Pfanne über einer heißen Flamme in einen vorgeheizten Ofen von 200 ° C (Konvektion 180 ° C; Gas: Stufe 3).

Shortbread Kekse mit Schokolade

Zutaten

- 220 g Butter
- 10 ml Kandisin (flüssig)

- 1 EL Kakaopulver (ungesüßt)
- 1 Vanilleschote
- 1 Stück Ei
- 300 g Mehl
- 200 g Diabetiker-Couverture
- 150 g diabetische Aprikosenmarmelade (oder andere Füllungen)

Vorbereitung

1. Für die Shortbread-Kekse mit Schokolade die Butter mit Kandiszucker, Vanillepulpe und Kakaopulver schaumig rühren, das Ei hinzufügen und das Mehl unterheben.
2. Gießen Sie die Mischung in einen Spritzbeutel mit einer perforierten Düse und kleiden Sie sie auf ein gefettetes, bemehltes Tablett und backen Sie sie bei 180 ° C goldgelb.
3. Mit Aprikosenmarmelade zusammenstellen und mit Couverture dekorieren.

Ziegenkäse-Omelett mit Basilikum

Zutaten

- 4 Eier)
- Salz-
- Pfeffer
- 200 g Käse (Ziegenkäse)
- 2 EL Basilikum (grob gehackt)
- 60 g Butter

Vorbereitung

1. Für das Ziegenkäse-Omelett die Eier in einer Schüssel schlagen, mit Salz und Pfeffer würzen und alles gut verquirlen. Den Ziegenkäse in Würfel schneiden und mit den Eiern zusammen mit dem frisch gehackten Basilikum mischen.
2. Die Hälfte der Butter in einer Pfanne erhitzen, die Hälfte der Eimischung einfüllen und die Pfanne schwenken, damit die Mischung gleichmäßig verteilt wird. Reduzieren Sie die Hitze ein wenig. Lassen Sie das Omelett langsam aushärten, falten Sie es in der Mitte und ordnen Sie es auf einem vorgeheizten Teller an.
3. Bereiten Sie das zweite Ziegenkäse-Omelett auf die gleiche Weise zu und servieren Sie es.

Zimtsterne mit Schokolade

Zutaten

- 75 g Butter
- 190 g Mehl
- 2 Stück Eier
- 1 EL Kandiszucker (flüssig)
- Zimt
- 1 Eigelb
- 200 g Johannisbeermarmelade (angespannt)
- 200 g diabetische Schokolade

Vorbereitung

1. Für die Zimtsterne die Butter mit Mehl und den 2 Eiern zu einem glatten Teig verarbeiten. Mit KANDISIN Flüssigkeit und Zimt würzen. 1 Stunde im Kühlschrank ruhen lassen.
2. Dann den 3 mm dicken Teig ausrollen, Kekse mit einem Sternschneider ausschneiden und mit Eigelb bestreichen. Auf einem gefetteten Blech bei 200 ° C

ca. 10 Minuten goldgelb backen. Die Hälfte der Sterne mit Marmelade bestreichen und zusammenfügen.

3. Tauchen Sie die Hälfte der Zimtsterne in diabetische Schokolade.

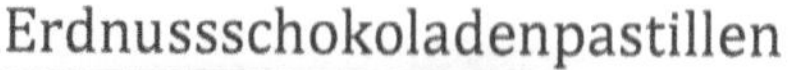

Erdnussschokoladenpastillen

Zutaten

- 1 Mürbeteig (Keksteig nach Grundrezept)
- 50 g Erdnusskern (geröstet und gesalzen)
- 100 g dunkle Schokoladenkuvertüre
- 50 g Erdnussbutter (knusprig)
- grobes Meersalz

Vorbereitung

1. Zuerst müssen Sie das Grundrezept befolgen, um den Teig zuzubereiten. Suchen Sie unter der Registerkarte "Rezept" oder finden Sie den Link zum Rezept für "Keksteig" auf der Registerkarte "Produktempfehlung".

2. Das Mürbteiggebäck ausrollen und die Diamanten mit einem scharfen Messer schneiden. Legen Sie die Diamanten auf ein mit Backpapier ausgelegtes Backblech und backen Sie sie in einem auf 180 ° C vorgeheizten Ofen (Heißluftofen 160 ° C; Gas: Stufe 2–3) 10–12 Minuten lang goldbraun. Herausnehmen und abkühlen lassen.
3. Erdnüsse grob hacken. Die Kuvertüre grob hacken und über einem heißen Wasserbad schmelzen. Entfernen Sie die Hälfte der Kuvertüre und rühren Sie die Erdnüsse ein.
4. Setzen Sie zwei Diamanten mit einem Schuss Erdnuss-Couverture zusammen und lassen Sie die Erdnusskekse etwas abkühlen.
5. Dekorieren Sie die Diamanten mit einem Schuss Couverture und bestreuen Sie sie mit Erdnüssen und Salz. Die Erdnusskekse kühlen, bis die Kuvertüre ausgehärtet ist.

KAPITEL SECHS

Gemüserezepte für Diabetiker

Gurkensalat mit Öl-Essig-Dressing

Zutaten

- 1 mittelgroße Gurke ca. 750g
- 3 EL Olivenöl
- 2 EL Weißweinessig
- Salz-
- 1 TL Honig
- Pfeffer
- 1 mittelgroße Zwiebel
- ½ Bunddill

Vorbereitungsschritte

1. Waschen Sie die Gurke, reiben Sie sie trocken und schneiden oder schneiden Sie sie in dünne Scheiben.

2. Mischen Sie das Olivenöl mit Essig, Salz, Honig und Pfeffer.
3. Die Zwiebel in sehr kleine Stücke schneiden und in Würfel schneiden. Eine Zwiebel putzen und trocknen, hacken und in das Dressing legen. Wir sollten beide zum Salat geben und einrühren.
4. Die Gurkenscheiben müssen vor dem Servieren mit dem Dressing gemischt werden.

Fenchelsalat mit Grapefruit

Zutaten

- 4 Fenchelknollen
- 2 Grapefruit
- 4 EL Sesamöl
- 1 Prise Rohrohrzucker
- 2 EL Rotweinessig
- Salz-
- Pfeffer
- Chiliflocken

- 30 g Walnüsse

Vorbereitungsschritte

1. Den Fenchel gründlich waschen, halbieren, die Kartoffeln abtropfen lassen und das Fenchelgrün beiseite stellen. Den Fenchel in dünne Streifen schneiden oder in Scheiben schneiden und in eine Schüssel geben.
2. Die Grapefruit mit einem Messer gründlich schälen. Schneiden Sie die Pulpe zwischen den Trennmembranen aus; Die Filets in Stücke schneiden und beiseite stellen. Den Rest der Grapefruit auspressen und den Saft in den Fenchel geben.
3. Sesamöl, Rohzucker und Rotweinessig in den Fenchel geben und mit Salz, Pfeffer und Chiliflocken würzen. Alles kräftig mit den Händen kneten. Grapefruit hinzufügen und 10 Minuten ziehen lassen.
4. In der Zwischenzeit Walnüsse in einer Pfanne ohne Fett bei mittlerer Hitze rösten, entfernen und grob hacken. Auch die Fenchelgrüns grob hacken.
5. Füllen Sie den Fenchelsalat in vier Schalen und gießen Sie das Fenchelgrün und die Walnüsse darüber.

Tomatensuppe nach italienischer Art

Zutaten

- 400 g Tomaten (5 Tomaten)
- ½ Zwiebel
- 1 Knoblauchzehe
- 2 EL Olivenöl
- 1 TL Oregano
- 100 ml Gemüsebrühe
- 1 TL Tomatenmark
- 1 Lorbeerblatt
- Salz-
- Pfeffer
- 2 Stängel Basilikum
- ½ TL Balsamico-Essig

Vorbereitungsschritte

1. Tomaten mit heißem Wasser anbrühen, mit kaltem Wasser abspülen, schälen, halbieren und das Fruchtfleisch in Würfel schneiden.
2. Zwiebel und Knoblauch schälen und fein hacken. 1 Esslöffel Öl in einem Topf erhitzen. Zwiebeln und Knoblauch glasig dünsten. Oregano hinzufügen.

Tomaten und Tomatenmark einrühren. Gießen Sie die Gemüsebrühe hinein und fügen Sie das Lorbeerblatt, Salz und Pfeffer hinzu. Die Suppe zum Kochen bringen und abgedeckt ca. 5 Minuten köcheln lassen.

3. Basilikum waschen und trocken schütteln. Schneiden Sie die Blätter in feine Streifen.
4. Das Lorbeerblatt entfernen, die Suppe mit einem Stabmixer pürieren und mit Balsamico-Essig würzen. Das gehackte Basilikum darüber streuen und eine Portion untermischen. Den Rest des Olivenöls auf die Suppe träufeln und sofort servieren.

Salat mit farbigen Tomaten

Zutaten

- 250 g gemischter Salat (zB Lollo Rosso, junge Spinat- und Mangoldblätter, Rucola, Kapuzinerkresse)
- 400 g gemischte Kirschtomaten (rot, orange, gelb und grün)

- 4 EL Olivenöl
- 2 EL weißer Balsamico-Essig
- Salz-
- Pfeffer

Vorbereitungsschritte

1. Salat sortieren, waschen, reinigen und trocken schleudern. Tomaten waschen, abtropfen lassen und nach Wunsch halbieren oder vierteln.
2. Den Salat mit den Tomaten mischen und in einer Schüssel anrichten. Für eine Vinaigrette Öl, Essig, Salz und Pfeffer einrühren, mit dem Salat bestreuen und servieren

Zucchinisalat mit Tomaten

Zutaten

- 500 g Zucchini
- 2 Avocados
- 2 EL Limettensaft
- 5 Tomaten
- 10 g Dill (0,5 Bündel)
- 4 EL Olivenöl

- 3 EL Reisessig
- 2 EL Sojasauce
- Salz-
- Pfeffer
- 1 Prise Chilipulver
- 3 EL schwarzer Sesam
- 1 Bio-Kalk

Vorbereitungsschritte

1. Zucchini waschen und reinigen. Mit einem Spiralschneider in feine Spaghettistreifen schneiden. Die Avocados halbieren, entkernen und schälen und das Fruchtfleisch ca. 2 cm. Mit Limettensaft beträufeln. Die Tomaten waschen, halbieren und den Stiel ausschneiden. Entfernen Sie die Pips und würfeln Sie das Fruchtfleisch. Dill waschen und trocken schütteln. Tipps zupfen und fein hacken. Mischen Sie die Zucchini-Spaghetti mit den Avocado-Würfeln, Tomaten und Dill. Mischen Sie das Öl, Essig und Sojasauce mit dem Gemüse. Mit Salz, Pfeffer und Chili abschmecken.
2. Die Zucchini-Spaghetti auf 4 Teller verteilen und mit Sesam bestreuen. Den Kalk mit heißem Wasser waschen, trocken tupfen und in Keile schneiden. Mit Zucchini-Spaghetti garnieren.

Grüner Kraftsalat

Zutaten

- 2 Kohlrabi mit zarten Blättern
- 1 Brokkoli
- 5 EL Olivenöl
- 30 g Kürbiskerne (2 EL)
- Salz-
- Pfeffer
- 1 Zweig Thymian
- 1 Zitrone (Saft)
- 1 TL grober Senf
- 1 TL Honig
- 15 g Kapern (1 EL; Glas)

Vorbereitungsschritte

1. Den Kohlrabi putzen, waschen, schälen und in dünne Scheiben schneiden. Waschen Sie die Kohlrabi-Blätter, entfernen Sie die dicken Blattadern und schneiden Sie die Blätter in Streifen. Brokkoli putzen und waschen, den Stiel abschneiden, schälen und in dünne Scheiben

schneiden, den restlichen Brokkoli in kleine Röschen schneiden.

2. In einer Pfanne ca. 1/4 Tasse Öl erhitzen. Bringen Sie einen Topf mit gehacktem Brokkoli zum Kochen und schmoren Sie die Teile einige Minuten lang. Den Kürbiskern, den Kohlrabi und die Zwiebel in den Topf geben und weitere drei Minuten rühren. Mit diesen Gewürzen der Reihe nach würzen. Bringen Sie die Burger auf den Teller und legen Sie die Kohlrab-Scheiben darauf.
3. Nehmen Sie für das Dressing den Thymian und waschen Sie ihn gut, trocknen Sie ihn dann ab und nehmen Sie die Blätter ab. Das restliche Olivenöl mit Zitronensaft, Senf, Honig, Thymian und etwas Gewürz (Salz und Pfeffer) auffüllen. Gehackte Kapern in die Schüssel geben. Die Zutaten zusammen streuen und umrühren, dann mischen.

Paprika mit Hüttenkäse

Zutaten

- 50 g rote Zwiebeln (1 rote Zwiebel)
- ½ kleine Zitrone (Saft)
- 150 g körniger Frischkäse (0,8% Fett)
- 150 g fettarmer Quark
- ½ TL mildes Currypulver
- Salz-
- 1 Prise Cayennepfeffer
- 300 g kleiner gelber Pfeffer (2 kleine gelbe Paprika)
- 300 g kleine rote Paprika (2 kleine rote Paprika)
- 4 Stängel Dill
- 20 g Pinienkerne (1 gehäufter Esslöffel)

Vorbereitungsschritte

1. Zwiebeln schälen und in feine Stücke schneiden. Zitronensaft mit Frischkäse, fettarmem Quark und 3-4 Esslöffeln Wasser in einer Schüssel glatt rühren. Zwiebel untermischen. Mit Curry, Salz und Cayennepfeffer abschmecken.
2. Paprika halbieren, entkernen und waschen. Dill waschen, trocken schütteln und hacken. Die

Pinienkerne bei mittlerer Hitze fettfrei in einer Pfanne rösten.

3. Füllen Sie die Pfefferhälften mit der Hüttenkäsemischung und servieren Sie sie mit Dill und Pinienkernen.

Sommerwurstsalat

Zutaten

- 100 g Schinken (oder feine Extrawurst)
- 3 EL Weißweinessig
- 3 EL Olivenöl
- Rettich
- Frühlingszwiebeln (nach Geschmack)
- Eichenblattsalat (nach Geschmack)
- 1/2 Zwiebel (rot)
- Salz-
- Pfeffer (aus der Mühle)
- Kräuter (gehackt, zum Garnieren)

Vorbereitung

1. Für einen Sommerwurstsalat etwa ein Drittel der Wurstscheiben in Streifen schneiden. Die restlichen Wurstscheiben auf einen Teller legen. Mischen Sie eine Marinade mit Essig, Salz, frisch gemahlenem Pfeffer und Olivenöl. (Wenn der Essig zu sauer ist, süßen Sie ihn mit etwas Zucker, obwohl die Marinade etwas saurer sein sollte.) Reinigen Sie den Eichenblattsalat, schneiden Sie die Radieschen und Frühlingszwiebeln in feine Scheiben.
2. Alles mit einem Teil der Marinade mischen und auf den Wurstscheiben anrichten. Die restliche Marinade über die Wurst verteilen. Wurststreifen über den Salat streuen. Mit frisch gemahlenem Pfeffer bestreuen. Die rote Zwiebel in dünne Scheiben schneiden und den Wurstsalat damit garnieren. Mit gehackten Kräutern dekorieren.

Bärlauch-Avocado-Salat

Zutaten

- 40 g Bärlauch
- 200 g frischer Ziegenkäse
- 2 EL Schlagsahne
- 1 PC Avocado
- 1 Teelöffel Zitronensaft
- 1 EL Olivenöl
- Salz-
- Pfeffer (schwarz)
- Löwenzahnblätter (zum Bestreuen)

Vorbereitung

1. Für den Bärlauch-Avocado-Salat den Bärlauch waschen, trocknen und fein hacken. Ziegenfrischkäse und Schlagsahne mit dem Mixer glatt rühren. Bärlauch einrühren und mit Salz und Pfeffer würzen. Die Avocado längs halbieren, in Keile schneiden und auf Tellern anrichten. Mit dem Zitronensaft bestreichen.
2. Gießen Sie die Käsemischung in einen Spritzbeutel und kleiden Sie die Rosetten auf die Avocado-Scheiben und beträufeln Sie sie mit Olivenöl.
3. Die Löwenzahnblüten pflücken und über den Bärlauch-Avocado-Salat streuen.

Gemüsespaghetti

Zutaten

- 320 g Spaghetti (Vollkorn)
- 100 g Pilze
- 1 Stück Zwiebel
- 1 Stück Zucchini (grün und gelb)
- 1 Aubergine (klein)
- 3 Zehen Knoblauch
- 1/4 l Tomaten (abgesiebt)
- Basilikum
- 2 EL Olivenöl
- 1 Stück Gemüsesuppenwürfel
- Cayenne Pfeffer
- Salz-
- Pfeffer

Vorbereitung

1. Für die Gemüsespaghetti die Spaghetti al dente kochen. Die Pilze putzen und in kleine Stücke schneiden. Zucchini und Aubergine in kleine Würfel schneiden.

2. Die Zwiebel in Olivenöl anschwitzen, den Knoblauch und das Gemüse hinzufügen, die Tomaten und den Cayennepfeffer unterrühren. Mit Salz, Pfeffer und gewürfelter Gemüsesuppe würzen. 10 Minuten köcheln lassen.
3. Die Spaghetti mit dem Gemüseragout mischen und erhitzen.
4. Mit Basilikum bestreut servieren.

Wels mit Gemüse und Petersilienpesto

Zutaten

- 500 g kleine Rote Beete
- 500 g kleine gelbe Rüben
- 250 g Babykarotten
- Meersalz
- Pfeffer
- 120 ml Olivenöl
- 4 Welsfilets (je ca. 200 g)
- 2 Handvoll Petersilie
- 1 Knoblauchzehe

- 1 EL Mandelkerne (geschält)
- 1 TL Zitronensaft
- 1 Orange

Vorbereitungsschritte

1. Rote Beete, gelbe Rote Beete und Karotten reinigen (nach Wunsch schälen), die Karotten längs halbieren oder vierteln und die Rote Beete in Keile schneiden. Rote Beete und gelbe Rüben auf einem Backblech verteilen, mit Salz und Pfeffer würzen und mit 2 EL Öl beträufeln.
2. Im vorgeheizten Backofen bei 200 ° C (Konvektion 180 ° C; Gas: Stufe 3) ca. 30 Minuten backen. Gelegentlich wenden und die letzten 10 Minuten Karotten hinzufügen.
3. In der Zwischenzeit den Fisch waschen, trocken tupfen, mit Salz und Pfeffer würzen und in 2 Esslöffeln Öl auf beiden Seiten 3–4 Minuten in einer heißen, beschichteten Pfanne goldbraun braten.
4. Für das Pesto die Petersilie waschen, trocken schütteln und die Blätter zupfen. Knoblauch schälen und mit Petersilie, Mandeln und restlichem Öl fein pürieren. Mit Zitronensaft, Salz und Pfeffer würzen.
5. Die Orange gründlich schälen und in Scheiben schneiden. Mit Gemüse und Fisch auf Tellern anrichten und mit Pesto beträufelt servieren.

Zitronensohlenfilet mit Kirschtomaten

Zutaten

- 600 g bunte Kirschtomaten
- 2 Knoblauchzehen
- 10 Perlzwiebeln
- 1 Handvoll Thymian
- 4 Zweige Rosmarin
- 8 rote Zungenfilets (je ca. 60 g)
- 3 EL flüssige Butter
- Salz-
- Pfeffer aus der Mühle
- 3 Prise zerstoßener Oregano

Vorbereitungsschritte

1. Kirschtomaten waschen und halbieren. Knoblauch und Perlzwiebeln schälen. Die Kräuter waschen, trocken schütteln und die Zweige halbieren.
2. Die Sohlenfilets waschen, mit Küchenpapier trocken tupfen und in die Auflaufform legen. Mit der geschmolzenen Butter bestreichen, mit Knoblauch,

Perlzwiebeln und Tomaten bestreuen. Alles mit Salz, Pfeffer und Oregano würzen.

3. Rotzfilets in einem vorgeheizten Ofen bei 200 ° C (Konvektion 180 ° C; Gas: Stufe 3) ca. 15 Minuten kochen und heiß servieren.

Rosenkohl und Rindfleischpfanne

Zutaten

- 600 g Rosenkohl
- Salz-
- 1 Baguette
- 2 Knoblauchzehen
- 50 g weiche Butter
- 1 EL frisch gehackte Petersilie
- 200 g Cocktailtomaten
- 1 Zwiebel
- 600 g Rindfleisch zb Lende oder Hüfte
- 2 EL Pflanzenöl
- Pfeffer aus der Mühle

Vorbereitungsschritte

1. Den Backofen auf 180 ° C vorheizen.

2. Reinigen Sie den Rosenkohl und kochen Sie ihn etwa 10 Minuten lang in Salzwasser. Lassen Sie ihn dann abtropfen und lassen Sie ihn gut abtropfen.
3. Baguette diagonal schneiden, aber nicht durchschneiden. Knoblauch schälen, 1 Nelke auspressen, mit Butter und Petersilie umrühren und mit Salz abschmecken. Verteilen Sie die Knoblauchbutter in den Einschnitten und backen Sie sie im Ofen auf dem Rost etwa 5 Minuten lang.
4. Tomaten waschen und halbieren. Die Zwiebel schälen und zusammen mit der anderen Knoblauchzehe fein würfeln. Das Fleisch abspülen und in Streifen schneiden. Die Zwiebel kurz mit dem Knoblauch in heißem Öl in einer großen Pfanne anschwitzen. Fügen Sie das Fleisch hinzu und braten Sie es 3-4 Minuten lang an. Mit Salz und Pfeffer würzen. Rosenkohl und Tomaten unterheben, heiß werden lassen, abschmecken und mit dem Knoblauchbaguette servieren.

- Avocado-Orangen-Salat

Zutaten

- 2 Stück Orange
- 1 Stck. Avocado (reif, ohne dunkle Flecken)
- 1 Teelöffel Zitronensaft
- 1/2 Stck. Zwiebel (n) (rot)
- 2 EL Olivenöl (für die Marinade)
- 1 EL Balsamico-Essig (weiß)
- 1 EL Joghurt
- Kopfsalat (und / oder Kräuter nach Belieben)
- Olivenöl (zum Nieseln)
- Salz-
- Pfeffer (aus der Mühle)

Vorbereitung

1. Für den Avocado-Orangen-Salat die Orangen schälen und filetieren (in Filets trennen und die Haut abziehen).
2. Zwiebel in Ringe schneiden.
3. Die Avocado halbieren, den Stein entfernen, das Fruchtfleisch mit einem Kaffeelöffel entfernen und in Würfel schneiden.
4. Sofort mit Zitronensaft beträufeln, damit das Fruchtfleisch nicht braun wird.
5. Joghurt mit Olivenöl und Balsamico-Essig mischen.
6. Mit Salz und Pfeffer würzen und die Avocadowürfel damit marinieren.
7. Dann die Avocado auf den Tellern anrichten.
8. Gießen Sie den Salat und die Kräuter darauf. Die Orangenfilets und die Zwiebelringe dekorativ anordnen.

9. Mit etwas Olivenöl beträufeln und den Avocado-Orangen-Salat mit frisch gemahlenem Pfeffer bestreuen.

Ananas-Gurken-Salsa

Zutaten

- 1 frische Ananas
- 250 g Gurke (0,5 Gurken)
- 1 Frühlingszwiebeln
- 1 kleiner Chili-Pfeffer
- 3 EL Apfelessig
- 1 EL Honig
- Salz-

Vorbereitungsschritte

1. Ananasschale abziehen. Teilen Sie das Fruchtfleisch in 40 feine Stücke (10,5 Unzen), würfeln Sie es und geben Sie die Mischung in eine Schüssel.
2. Schneiden Sie die Gurke der Länge nach in zwei Hälften, entfernen Sie den Samen und entkernen Sie

ihn mit einem Löffel. Auch die Ananasstücke fein würfeln und zerdrücken.

3. Frühlingszwiebeln reinigen und waschen und die Zwiebelringe in dünne Ringe schneiden. Darüber hinaus auch.
4. Schneiden Sie den Schnitt, die Hälfte und den Kernprozess ab und hacken Sie den Chilipfeffer fein. Beschwöre eine Lösung aus Honig und Salz in eine kleine Schüssel und mische sie dann mit Essig.
5. Gießen Sie das Dressing über die Ananas-Gurken-Mischung und lassen Sie die Mischung umrühren. 30 Minuten ziehen lassen, dann nochmals nach Belieben würzen.

Salatschüssel mit Wassermelone

Zutaten

- 100 g Rettich (1 Stück)
- Salz-
- 250 g gemischter Blattsalat
- 300 g Wassermelone (1 Stück)
- 1 gelber Pfeffer

- 30 g Ingwer (1 Stück)
- 1 Limette
- 1 EL Sojasauce
- 1 EL thailändische Fischsauce
- Pfeffer
- 3 EL Olivenöl
- 1 TL Sesamöl
- ½ Bund Koriander
- 150 g körniger Frischkäse (13% Fett)

Vorbereitungsschritte

1. Den Rettich schälen, reinigen und in feine Scheiben schneiden. Mit etwas Salz in eine Schüssel geben und 10 Minuten ziehen lassen.
2. In der Zwischenzeit die Salate reinigen, waschen und schleudern.
3. Die Wassermelone schälen und in 1 cm große Würfel schneiden, wobei die Steine weitgehend entfernt werden.
4. Die Paprika vierteln, reinigen, entkernen, waschen und in feine Streifen oder Würfel schneiden.
5. Für die Vinaigrette den Ingwer schälen und fein reiben. Drücken Sie die Limette. Mischen Sie den Ingwer, 2 EL Limettensaft, Sojasauce, Fischsauce, ein wenig Salz und Pfeffer. Halten Sie beide Öle zurück.
6. Den Rettich abtropfen lassen. Mit den anderen Zutaten und der Vinaigrette in einer Schüssel mischen. Den Koriander waschen, trocken

schütteln, die Blätter zupfen und mit dem Frischkäse über den Salat verteilen.

Kräutertofu mit Tomaten

Zutaten

- 600 g Tofu
- 1 Stielbasilikum
- 3 EL Olivenöl
- 400 g Kirschtomaten
- 1 EL Zitronensaft
- Salz-
- Pfeffer

Vorbereitungsschritte

1. Den Tofu würfeln. Basilikum waschen, trocken schütteln, Blätter zupfen und fein hacken.
2. Basilikum und 2 Esslöffel Öl unter den Tofu mischen, abdecken und ca. 30 Minuten im Kühlschrank stehen lassen.
3. In der Zwischenzeit die Tomaten waschen und halbieren.

4. Das restliche Öl in einer Pfanne erhitzen und die Tomaten darin anbraten. Mit Zitronensaft ablöschen und 2-3 Minuten bei schwacher Hitze köcheln lassen.
5. Den Tofu 3-4 Minuten in einer anderen Pfanne goldbraun braten. Basilikumöl und Tofu zu den Tomaten geben, mit Salz und Pfeffer würzen.

KAPITEL SIEBEN

Diabetes Dinner Rezepte

Karotten-Pastinaken-Cremesuppe

Zutaten

- 10 g Ingwer (1 Stück)
- 500 g Karotten (4 Karotten)
- 400 g Pastinaken
- 1 EL Olivenöl
- 850 ml Gemüsebrühe
- 1 TL Kurkumapulver
- ½ TL gemahlener Koriander
- Jodsalz mit Fluorid
- Pfeffer
- 120 ml Mandelküche oder ein anderer Gemüsecremeersatz
- 30 g Haselnusskerne (2 EL)

- 10 g Petersilie (0,5 Bund)

Vorbereitungsschritte

1. Den Ingwer schälen und würfeln. Karotten und Pastinaken putzen, schälen und hacken.
2. Öl in einem Topf erhitzen. Den Ingwer und das Gemüse 3 Minuten bei mittlerer Hitze darin anbraten. Die Brühe einfüllen, mit Kurkuma, Koriander, Salz und Pfeffer würzen und bei schwacher Hitze 15 Minuten köcheln lassen. Dann mit einem Stabmixer pürieren. Mandelkuchen einrühren.
3. In der Zwischenzeit die Nüsse in einer heißen Pfanne ohne Fett bei mittlerer Hitze 3 Minuten lang rösten. dann grob hacken. Die Petersilie waschen, trocken schütteln und die Blätter hacken. Die Suppe in Schalen anrichten und mit Nüssen und Petersilie bestreut servieren.

Thailändischer Gurkensalat

Zutaten

- 1 EL Sojasauce
- 4 EL Reisessig
- 2 TL thailändische Fischsauce
- 2 TL Sesamöl
- 2 EL Rohrohrzucker
- 1 roter Pfeffer
- 1 kg Gurke (2 Gurken)
- Salz-
- ½ Bund Thai Basilikum
- 3 Stiele Minze
- 50 g gerösteter Erdnusskern

Vorbereitungsschritte

1. Sojasauce, Reisessig, Fischsauce, Sesamöl und Zucker in einer Schüssel mischen.
2. Den Pfeffer längs halbieren, den Kern entfernen, waschen und hacken. Zur Reisessigsauce geben.
3. Die Gurke waschen, längs halbieren und die Samen herauskratzen.
4. Die Gurke in dünne Halbmonde schneiden, leicht salzen und 10 Minuten in einem Sieb abtropfen lassen.
5. Die abgetropfte Gurke mit der Sauce mischen und 15 Minuten ziehen lassen (marinieren).
6. In der Zwischenzeit Basilikum und Minze waschen, trocken schütteln, Blätter zupfen und in feine Streifen schneiden.
7. Erdnüsse sehr fein hacken. Erdnüsse und Kräuter kurz vor dem Servieren unter den Gurkensalat heben.

Pellkartoffeln mit Hüttenkäse

Zutaten

- 1 kg Wachskartoffeln
- 1 EL Kümmel
- 500 g fettarmer Quark
- 125 ml Milch (1,5% Fett)
- Salz-
- ½ Bund Schnittlauch
- 4 EL Leinöl, z. Budwig Omega-3-Öle

Vorbereitungsschritte

1. Kartoffeln gründlich waschen. Die Kartoffeln und Kümmel in einen Topf geben, mit etwas Wasser bedecken und mit dem Kochen bedecken. Abdecken und bei mittlerer Hitze 20-25 Minuten kochen lassen.

2. In der Zwischenzeit Quark und Milch mischen und mit Salz abschmecken.
3. Schnittlauch waschen, trocken schütteln und in feine Rollen schneiden
4. Gießen Sie die Kartoffeln in ein Sieb, spülen Sie sie in kaltem Wasser ab und schälen Sie sie.
5. Die Pellkartoffeln mit Quark servieren. Die Schnittlauchrollen über den Quark streuen und mit dem Leinöl beträufeln.

Saubohnenkrapfen

Zutaten

- 200 g Saubohnen (gefroren; aufgetaut)
- 150 g Kichererbsen (Dose; abgelassenes Gewicht)
- 1 rote Chilischote
- 20 g Sojamehl (2 EL)
- 80 g Kichererbsenmehl
- 20 g Maisstärke (2 EL)
- Salz-
- 1 TL Advieh (iranische Gewürzmischung)

- ½ TL Kurkumapulver
- 2 Eier
- 250 ml Milch (3,5% Fett)
- 1 Knoblauchzehe
- 4 Stiele
- Dill
- 1 EL Olivenöl

Vorbereitungsschritte

1. Kochen Sie die Bohnen 4 Minuten lang in kochendem Wasser. dann abtropfen lassen, abschrecken, abtropfen lassen und bei Bedarf häuten. In der Zwischenzeit die Kichererbsen in einem Sieb abspülen und abtropfen lassen. Chili-Pfeffer längs halbieren, Kern entfernen, waschen und hacken.
2. Mischen Sie das Sojamehl mit Kichererbsenmehl, Stärke, Salz, Advieh und Kurkuma. Eier mit Milch verquirlen und unter das Mehl rühren. Knoblauch schälen, hacken und hinzufügen. Den Dill waschen, trocken schütteln, hacken, hinzufügen und mit den Chilis mischen.
3. Das Öl in einer ofenfesten Pfanne erhitzen. Gießen Sie die Mischung ein, fügen Sie die Kichererbsen und Bohnen hinzu. Bei mittlerer Hitze 2 Minuten kochen lassen. Stellen Sie die Pfanne 20 Minuten lang in den vorgeheizten Ofen bei 200 ° C (Konvektion 180 ° C; Gas: Stufe 3), damit die Masse eingedickt und leicht gebräunt wird. Herausnehmen und in Stücke schneiden.

Feta-Wassermelonen-Salat mit Tomaten

Zutaten

- 200 g Kirschtomaten
- 200 g Gurke
- 1 grüner Pfeffer
- 250 g Wassermelone
- 200 g Schafskäse (45% Fett in Trockenmasse)
- 1 Zwiebel
- 6 Rettich
- 3 Stiele Minze
- ½ Zitrone
- 3 EL Olivenöl
- Salz-
- Pfeffer

Vorbereitungsschritte

1. Tomaten reinigen, waschen und halbieren. Reinigen und waschen Sie auch die Gurke, halbieren Sie sie in Längsrichtung und schneiden Sie sie in kleine Würfel. Paprika waschen, halbieren, entkernen und würfeln.

2. Die Melone halbieren und mit einem Parisienne (Kugelschneider) Kugeln aus dem Fruchtfleisch herausschneiden. Alternativ die Melone würfeln. Den Schafskäse würfeln, die Zwiebel schälen und in kleine Würfel schneiden. Radieschen reinigen und waschen und in dünne Scheiben schneiden. Die Minze abspülen, trocken schütteln und die Blätter abreißen.
3. Die Zitrone auspressen, etwa 2 Esslöffel Saft mit allen Salatzutaten und Öl mischen, mit Salz und Pfeffer würzen und in Schalen servieren.

Bunte Pizzasuppe

Zutaten

- 1 kleine Zwiebel
- 1 Knoblauchzehe
- 125 g Pilze
- 2 EL Olivenöl
- 125 g Rinderhackfleisch
- Salz-

- Pfeffer
- 1 TL getrockneter Oregano
- 250 g gesiebte Tomate (Glas)
- 300 ml Gemüsebrühe
- 50 g Frischkäse (2 EL; 45% Fett in der Trockenmasse)
- 1 gelber Pfeffer (150 g)
- 10 g Rakete (1 Handvoll)
- 20 g Parmesan in einem Stück (30% Fett in der Trockenmasse)

Vorbereitungsschritte

1. Zwiebel und Knoblauch schälen und hacken. Die Pilze putzen und vierteln.
2. 1 Esslöffel Öl in einem Topf erhitzen. Das Hackfleisch darin bei starker Hitze 3–4 Minuten braten. Zwiebel, Knoblauch und Champignons dazugeben und bei mittlerer Hitze 5 Minuten braten. Mit Salz, Pfeffer und Oregano würzen.
3. Tomaten und Brühe einfüllen, Frischkäse einrühren und 10 Minuten köcheln lassen.
4. In der Zwischenzeit die Paprika waschen, halbieren, entkernen und in kleine Würfel schneiden. Die Rucola waschen, trocken schleudern, sehr fein hacken, mit dem restlichen Öl mischen und mit Salz und Pfeffer würzen. Parmesan in Scheiben schneiden.
5. Den gewürfelten Paprika in die Suppe geben und unterrühren. Die Pizzasuppe in eine Schüssel geben, mit Rucolaöl beträufeln und den Parmesan darüber gießen.

Gedämpftes Fischfilet

Zutaten

- 1 Schalotte
- 100 g kleine Fenchelknolle (1 kleine Fenchelknolle)
- 60 g kleine Karotten (1 kleine Karotte)
- 3 EL klassische Gemüsebrühe
- Salz-
- Pfeffer
- 70 g Pangasiusfilet (vorzugsweise Bio-Pangasius)
- 2 Stängel flache Petersilie
- ½ kleine Limette

Vorbereitungsschritte

1. Schalotten schälen und fein würfeln.
2. Fenchel und Karotte putzen und waschen, Karotte dünn schälen. Schneiden Sie beide Gemüse in schmale Stangen.
3. Die Brühe in einer beschichteten Pfanne erhitzen. Schalotte, Fenchel und Karotte dazugeben und ca. 3 Minuten kochen lassen. Mit Salz und Pfeffer abschmecken.

4. Das Fischfilet abspülen, trocken tupfen, leicht salzen und auf das Gemüse legen. Abdecken und bei schwacher Hitze 8-10 Minuten kochen lassen.
5. In der Zwischenzeit die Petersilie waschen, trocken schütteln, die Blätter zupfen und mit einem großen Messer fein hacken.
6. Eine halbe Limette auspressen und den Saft nach Belieben über den Fisch träufeln. Nach Belieben pfeffern, mit Petersilie bestreuen und servieren.

Kalte Gurkensuppe

Zutaten

- 1 Gurke
- etwas Knoblauch (zerkleinert)
- 3 EL Balsamico-Essig (weiß)
- etwas Dill (gehackt)
- 100 ml Rindfleischsuppe (kalt)
- 100 ml Buttermilch
- 250 g Joghurt
- Salz-
- Pfeffer

- Olivenöl

Vorbereitung

1. Gurke waschen und in große Stücke schneiden. Mit Salz, zerkleinertem Knoblauch und Balsamico-Essig einige Minuten marinieren.
2. Fügen Sie den Dill, die kalte Rindfleischsuppe, Buttermilch und Joghurt hinzu und pürieren Sie alles mit dem Stabmixer. Durch ein Sieb passieren.
3. Mit Salz und Pfeffer abschmecken. In gekühlte tiefe Teller füllen und bei Bedarf etwas Olivenöl darüber träufeln.

Buttermilch-Spinat-Suppe

Zutaten

- 300 g Kartoffeln (mehlig)
- 125 ml Gemüsesuppe
- 400 g Spinat
- 200 ml Buttermilch
- 3 EL Schlagsahne
- Salz-
- Pfeffer (schwarz)

- Muskatnuss, gerieben)
- 2 Scheiben Vollkornbrot

Vorbereitung

1. Kartoffeln schälen und würfeln. Den Spinat waschen und in große Stücke schneiden oder zupfen.
2. Die Gemüsesuppe zum Kochen bringen und die Kartoffeln darin weich kochen.
3. Fügen Sie den Spinat hinzu und lassen Sie ihn ziehen, bis er zusammenbricht.
4. Dann pürieren und Schlagsahne und Buttermilch hinzufügen. Würzen und aufwärmen, aber nicht zum Kochen bringen.
5. Das Vollkornbrot damit anrichten und servieren.

Buntes Gartengemüse

Zutaten

- 300 g Brokkoli
- 300 g Blumenkohl
- 300 g Karotten
- 300 g Rüben (gelb)
- 300 g Zucchini

- Salz-
- Butter (zum Pfannen)

Vorbereitung

1. Für buntes Gartengemüse Brokkoli und Blumenkohl putzen und in mundgerechte Röschen schneiden. Karotten, gelbe Rüben und Zucchini in Stangen schneiden. Kochen Sie das Gemüse in Salzwasser und fügen Sie die Zucchinisticks etwas später hinzu, da sie weniger Zeit zum Kochen benötigen.
2. Werfen Sie das bunte Gartengemüse in heiße Butter und würzen Sie es bei Bedarf mit Salz.

Zucchini Auflauf

Zutaten

- 1 kg Zucchini (klein)
- 200 g Schafskäse
- 4 Eier
- 2 EL Milch
- Salz (aus der Mühle)
- Pfeffer (aus der Mühle)
- 3 EL Olivenöl

Vorbereitung

1. Für den Zucchini-Auflauf die gut gewaschene Zucchini grob reiben und den geriebenen fest ausdrücken, bis die Mischung fast trocken ist.
2. Den Schafskäse zerbröckeln und mit der Zucchini mischen. Drei Eier mit dem Olivenöl verquirlen und in die Zucchinimischung einrühren. Mit frisch gemahlenem Salz und Pfeffer abschmecken.
3. Olivenöl auf einer Auflaufform verteilen und die Mischung einfüllen. Den Rest des Eies mit der Milch verquirlen und über die Mischung gießen.
4. Im auf 190 ° C vorgeheizten Backofen ca. 45 Minuten goldbraun backen.
5. Nehmen Sie den fertigen Zucchini-Auflauf aus der Tube und servieren Sie ihn.

Hühnersuppe

Zutaten

- 1/2 Suppe Huhn (geschnitten, mit Hühnern und Innereien)
- 150 g Wurzeln (gereinigt, in Scheiben oder Würfel geschnitten)
- 2 Lorbeerblätter
- 4 Pfefferkörner (4-5, weiß)

- 2 1/2 Liter Wasser
- Salz-
- Muskatnuss (gerieben, nach Geschmack)

Vorbereitung

1. Das gut gewaschene, geschnittene Suppenhuhn, das kleine Huhn und die Innereien kurz in heißem Wasser anbrühen und mit kaltem Wasser servieren.
2. Fügen Sie das Wurzelgemüse und die Gewürze hinzu und kochen Sie alles etwa 30 Minuten lang, bis es weich ist. Das Huhn und die Innereien abseihen, in kaltem Wasser abspülen, abziehen und in kleine Stücke schneiden.
3. Reduzieren Sie die Hühnersuppe auf ca. 1 Liter, wodurch die Suppe noch stärker wird. Mit Salz und Muskatnuss abschmecken.
4. Ordnen Sie die Hühnersuppe in heißen Platten und servieren Sie sie mit dem Huhn, wenn Sie möchten.

Zucchini-Käse-Gratin

Zutaten

- 600 g Zucchini
- 300 g Erbsen (gefroren)
- 150 g Emmentaler (gerieben)
- 2 EL Sesam
- Salz-
- Pfeffer
- Butter (für die Form)

Vorbereitung

1. Für den Zucchinikäsegratin den Backofen auf 200 ° C vorheizen.
2. Die Erbsen in Salzwasser weich kochen. Mit einem Stabmixer abseihen und pürieren. Salz und Pfeffer.
3. Die Zucchini waschen, in dünne Scheiben schneiden und 3 Minuten in Salzwasser kochen. Dann kalt auskühlen.
4. Butter auf einer Auflaufform verteilen. Legen Sie die Zucchinihälften mit der Schnittfläche nach oben nebeneinander und würzen Sie sie mit Salz. Das Erbsenpüree auf der Zucchini verteilen, mit dem geriebenen Käse bestreuen und 5 Minuten in einem heißen Ofen bei 200 ° C backen.
5. In der Zwischenzeit die Sesamkörner trocken (ohne Fett) in einer beschichteten Pfanne rösten und vor dem Servieren über den Zucchini-Käse-Gratin streuen.

Kalte Gurkensuppe mit Krebsen

Zutaten

- 2 Gurken (mittel)
- 500 ml saure Sahne (Joghurt oder Buttermilch)
- Salz-
- Pfeffer (weiß, aus der Mühle)
- Dill
- etwas Knoblauch

Für die Kaution:

- 12 Flusskrebsschwänze (bis zu 16, frei, angehoben)
- Gurkenwürfel
- Tomatenwürfel
- Dillzweige

Vorbereitung

1. Für die kalte Gurkensuppe mit Flusskrebsen die Krabben kochen und die Schwänze loslassen. Die Gurke schälen und entkernen und mit saurer Sahne (Joghurt oder Buttermilch) mischen. Mit Salz, Pfeffer, Dill und etwas Knoblauch würzen. In vorgekühlten Tellern anrichten, Gurken- und

Tomatenwürfel sowie Krabbenschwänze legen und mit Dill garnieren.

Klare Fischsuppe mit gewürfeltem Gemüse

Zutaten

- 1 l Fischbrühe (klar, stark)
- 250 g Fischfiletstücke (bis zu 300 g, gemischt, ohne Knochen, Forellen usw.)
- 250 g Gemüse (gekocht, Blumenkohl, Lauch, Karotten usw.)
- Salz-
- etwas Pfeffer
- Safran
- etwas Wermut (möglicherweise trocken)
- 1 Zweig Dill
- Kerbel (oder Basilikum, um zu dekorieren)

Vorbereitung

1. Würzen Sie die fertige Fischbrühe mit Salz, Pfeffer und Safran, die in etwas Wasser eingeweicht sind, und würzen Sie sie mit einem Schuss Wermut. Das vorgekochte Gemüse in kleine Würfel schneiden und zusammen mit dem Fischfilet ca. 4-5 Minuten

köcheln lassen. Schnell in Kochplatten anrichten und mit den frischen Kräutern garnieren.

KAPITEL ACHT

Diabetes-Frühstücksrezepte

Vanillegrießbrei

Zutaten

- 400 g rothäutige feste Äpfel (2 rothäutige feste Äpfel)
- 1 EL Honig
- 1 TL Zimt
- 1 Vanilleschote
- 400 ml Milch (1,5% Fett)
- 1 Prise Salz
- 50 g Vollkorngrieß
- 1 EL Rohrzucker
- 40 g Walnusskerne
- Zitronenmelisse (nach Geschmack)

Vorbereitungsschritte

1. Waschen, Achtel schneiden und Äpfel entkernen. Honig, 4 Esslöffel Wasser, Zimt und Äpfel in einen

Topf geben. Einmal zum Kochen bringen, dann die Hitze reduzieren und 4-5 Minuten köcheln lassen.

2. In der Zwischenzeit die Vanilleschote mit a2 aufschneiden.
3. Vanillegrieß-Zubereitungsschritt 2
4. In der Zwischenzeit die Vanilleschote mit einem scharfen Messer aufschneiden und das Fruchtfleisch herauskratzen. Milch, Vanillepulpe und Salz zum Kochen bringen.
5. Grieß mit Rohrzucker mischen und langsam mit einem Schneebesen in die leicht kochende Milch einrühren, wieder zum Kochen bringen. Nehmen Sie den Topf vom Herd und lassen Sie den Grieß abgedeckt 4 Minuten lang anschwellen.
6. In der Zwischenzeit die Walnüsse hacken. Rühren Sie den Grieß gut um und gießen Sie ihn in Schalen. Die Äpfel und Nüsse darauf legen, mit Zitronenmelissenblättern garnieren und servieren.

Quarkcreme mit Beeren

Zutaten

- 300 g Sahnequark (40% Fett)

- 80 g Kokosmilch
- 3 EL Leinöl
- 70 g Beerenmischung
- 10 g gehackte Mandelkerne

Vorbereitungsschritte

1. Mischen Sie den Quark mit Kokosmilch und 2 Esslöffel Leinöl.
2. Die Beeren sortieren, waschen und trocken tupfen. Braten Sie die Mandeln in einer Pfanne ohne Fett bei mittlerer Hitze 3 Minuten lang.
3. Füllen Sie den Quark in zwei Schalen, garnieren Sie ihn mit Beeren, restlichem Leinöl und gerösteten Mandeln.

Gebackener Hafer

Zutaten

- 200 g Haferflocken
- 1 Prise Salz
- 50 g Walnüsse (oder andere Nüsse)
- 200 g Beere
- 180 ml Mandelgetränk (Mandelmilch)

- 1 Vanilleschote (Fruchtfleisch)
- 5 g Kokosöl (1 Teelöffel; geschmolzen)
- 1 EL Honig
- griechischer Joghurt nach Belieben

Vorbereitungsschritte

1. Haferflocken in eine große Schüssel geben und 400 ml kochendes Wasser darüber gießen. Eine Prise Salz hinzufügen, alles umrühren und 10 Minuten einweichen lassen.
2. In der Zwischenzeit die Walnüsse grob hacken und die Beeren waschen. Mandelmilch, Vanillepulpe, Walnüsse und Beeren zu den Haferflocken geben und gut umrühren.
3. Eine Auflaufform (ca. 26 x 20 cm) mit dem geschmolzenen Kokosöl bestreichen und die Haferflocken-Beeren-Mischung darin verteilen. Alles mit Honig bestreuen und im vorgeheizten Backofen bei 180 ° C (Konvektion 160 ° C; Gas: Stufe 2–3) ca. 20–25 Minuten backen.
4. Den fertig gebackenen Hafer heiß servieren. Nach Belieben mit griechischem Joghurt und frischen Beeren garnieren.

Frischkäse-Toast mit Feigen

Zutaten

- 200 g Vollkornroggenbrot (4 Scheiben)
- ¼ Vanilleschote
- 130 g Frischkäse (30% Fett in Trockenmasse)
- 1 EL Honig
- 1 Prise Zimt
- 4 Feigen
- 2 Stiele Minze
- 30 g Pistazienkerne (2 EL)

Vorbereitungsschritte

1. Die Brotscheiben 3–4 Minuten in einem Toaster rösten. In der Zwischenzeit die Vanilleschote längs halbieren und das Fruchtfleisch mit einem Messer herauskratzen. Mischen Sie den Frischkäse mit Honig, Vanillepulpe und Zimt.
2. Feigen putzen, waschen und in Keile schneiden. Waschen Sie die Minze und pflücken Sie die Blätter ab. Pistazien hacken.

3. Die gerösteten Brotscheiben mit Frischkäse bestreichen, die Feigen darauf verteilen und mit Minze und Pistazien bestreuen.

Erdbeer trinkendes Müsli

Zutaten

- 150 g reife Erdbeeren (10 reife Erdbeeren)
- 40 g Joghurt (1,5% Fett) (2 EL)
- 150 ml Milch (1,5% Fett)
- ½ TL Kokosblütenzucker
- ¼ TL Vanillepulver
- 20 g Haferflocken (sofort; 2 EL)

Vorbereitungsschritte

1. Erdbeeren waschen, trocken tupfen, reinigen und grob hacken.
2. Die Erdbeerstücke mit Joghurt, Milch, Kokosblütenzucker, Vanillepulver und Haferflocken in einen hohen Behälter geben. Alles mit einem Stabmixer pürieren und sofort als Trinkmüsli servieren.

Muffins mit Apfel und Karotte

Zutaten

- 1 Apfel
- 150 g Karotten
- 1 TL Zitronensaft
- 125 g Vollkornmehl
- 50 g zartes Haferflocken
- 1 Prise Salz
- 2 TL Backpulver
- 1 TL Backpulver
- 2 Eier
- 60 g Rohrzucker
- 60 ml Rapsöl
- 50 ml Buttermilch

Vorbereitungsschritte

1. Apfel und Karotte waschen und fein reiben. Mit Zitronensaft mischen.
2. Mischen Sie das Mehl mit Haferflocken, Salz, Backpulver und Backpulver. Schlagen Sie die Eier mit dem Zucker schaumig. Öl einrühren und

Mehlmischung abwechselnd mit Buttermilch untermischen, bis ein zäher Teig entsteht. Die Apfel-Karotten-Mischung unterheben.

3. Die Muffinform mit Papiereinlagen auslegen und den Teig auf den Einlagen verteilen. Backen Sie die Muffins in einem auf 200 ° C vorgeheizten Ofen (Heißluftofen 180 ° C; Gas: Stufe 3) etwa 25 bis 30 Minuten lang, lassen Sie sie dann in den Formen kurz abkühlen, nehmen Sie sie aus den Formen und lassen Sie sie abkühlen .

Chia Joghurt Pudding

Zutaten

- 100 g Kiwi (2 Kiwis)
- 600 g kleine reife Mango (2 kleine reife Mangos)
- 500 g Joghurt (1,5% Fett)

- 2 EL flüssiger Honig
- 60 g Chiasamen

Vorbereitungsschritte

1. Die Kiwis schälen und in Scheiben schneiden. Die Mangos schälen, das Fruchtfleisch vom Stein nehmen und in kleine Würfel schneiden. Die Hälfte der Früchte auf 4 Gläser verteilen.
2. Mischen Sie den Joghurt mit Honig zu einer glatten Creme. Die Chiasamen einrühren und die Joghurtcreme auf die Fruchtstücke in den Gläsern verteilen.
3. Decken Sie die Sahne mit dem Rest der Frucht ab und lassen Sie den Chia-Pudding etwa 2 Stunden oder über Nacht im Kühlschrank einweichen. Genießen Sie zum Frühstück oder dazwischen.

Keto-Brei mit Brombeeren

Zutaten

- 300 ml Mandelgetränk (Mandelmilch)

- ¼ TL Vanillepulver
- 30 g Hanfsamen
- 20 g Mandelmehl (teilweise entölt)
- 30 g getrocknete Kokosnuss
- 2 TL Leinsamen
- 1 Prise Salz
- 20 g Mandelkerne
- 50 g frische Brombeere (alternativ gefroren und aufgetaut)
- 2 EL Mandelbutter
- 1 TL Sonnenblumenkerne
- 1 TL Kürbiskerne

Vorbereitungsschritte

1. Das Mandelgetränk und das Vanillepulver in einem Topf erhitzen. Hanfsamen, Mandelmehl, getrocknete Kokosnuss, Leinsamen und Salz mischen, hinzufügen und bei mittlerer Hitze ca. 5 Minuten einweichen lassen. Gelegentlich umrühren.
2. In der Zwischenzeit die Mandeln hacken. Brombeeren waschen und sortieren und trocken tupfen.
3. Ketobrei in Schalen geben und mit gehackten Mandeln, Brombeeren, Mandelbutter, Sonnenblumenkernen und Kürbiskernen garnieren.

Vollkornbrot mit Walnussaufstrich

Zutaten

- 240 g Vollkornbrot (8 Scheiben)
- 15 g Butter (1 EL; Raumtemperatur)
- 200 g körniger Frischkäse
- 125 g fettarmer Quark
- 100 g grüne Pfefferolive (abgetropftes Gewicht; Glas)
- 50 g Walnusskerne
- Salz-
- Weißer Pfeffer
- 1 Prise Paprikapulver
- 2 Zweige Thymian

Vorbereitungsschritte

1. Brot mit Butter bestreichen. Den körnigen Frischkäse in eine Schüssel geben, mit einer Gabel zerdrücken und mit dem Quark mischen.
2. Die Oliven und 2/3 der Walnüsse grob hacken.
3. Mischen Sie die Oliven mit Walnüssen in den Frischkäse und würzen Sie mit Salz und Pfeffer. Das Brot mit Walnussquark bestreichen und mit etwas Paprikapulver bestreuen.

4. Den Thymian waschen, trocken schütteln, die Blätter abreißen, mit Brot bestreuen und auf 4 Tellern anrichten.

Herzhafte Räucherlachsscheiben

Zutaten

- ½ Zitrone
- 75 g Frischkäse (13% Fett)
- Salz-
- Pfeffer
- 5 Stiele Kerbel
- 4 Scheiben Vollkornroggenbrot
- 1 kleine rote Zwiebel
- 100 g Räucherlachs

Vorbereitungsschritte

1. Die Zitrone halbieren und auspressen. Frischkäse in einer Schüssel cremig rühren. Mit Salz, Pfeffer und Zitronensaft würzen.
2. Den Kerbel waschen, trocken schütteln, die Blätter zupfen, hacken und unter den Frischkäse rühren.

3. Die Brotscheiben im Toaster oder unter dem vorgeheizten Ofengrill leicht rösten. Zwiebel schälen und in feine Ringe schneiden.
4. Brot mit Frischkäse bestreichen und mit Lachsscheiben belegen. Die Zwiebelringe darauf verteilen und das Brot servieren.

Rote-Bete-Brot

Zutaten

- 6 Blatt Kapuzinerkressen
- 80 g Vollkornroggenbrot (2 Scheiben)
- 2 TL geriebener Meerrettich (Glas)
- 120 g gekochte Rote Beete (eingeschweißt; geschält)
- Salz-
- 2 Kapuzinerkresseblüten

Vorbereitungsschritte

1. Kapuzinerkresseblätter waschen und trocken schütteln.
2. Die Brotscheiben mit je 1 Teelöffel Meerrettich bestreichen.

3. Rote Beete abtropfen lassen, mit Küchenpapier trocken tupfen und in dünne Scheiben oder Streifen schneiden.
4. Die Brotscheiben mit Rote Beete und Kresseblättern bedecken. Leicht salzen und mit den Kresseblüten servieren.

Skyr mit Erdbeeren und Haferflocken

Zutaten

- 200 g Skyr
- 60 g fester Naturjoghurt (1,5% Fett)
- 200 g Erdbeeren
- 2 TL Leinöl
- 60 g herzhafte Haferflocken
- 10 g zerkleinerter Leinsamen (2 EL)
- 10 g Sesam (2 TL)
- 1 EL Goji-Beeren

Vorbereitungsschritte

1. Den Skyr mit Joghurt glatt rühren. Erdbeeren putzen, waschen und in kleine Stücke schneiden.
2. Die Beeren auf den Skyr legen, mit dem Leinöl beträufeln und mit Flocken, Leinsamen, Sesam und Goji-Beeren bestreut servieren.

Gebackene Spinatnester mit Ei

Zutaten

- 1 Knoblauchzehe
- 1 Zwiebel
- 1 kg frische Spinatblätter
- 2 EL Rapsöl
- Muskatnuss
- Salz-
- Pfeffer
- 4 Eier

Vorbereitungsschritte

1. Knoblauch und Zwiebel schälen und sehr fein würfeln.
2. Reinigen Sie den Spinat, waschen Sie ihn gründlich und lassen Sie ihn in einem Sieb leicht abtropfen.

3. Das Rapsöl in einem Topf erhitzen, die Zwiebel und den Knoblauch bei mittlerer Hitze glasig dünsten.
4. Fügen Sie Spinat hinzu, während Sie tropfnass sind, und lassen Sie ihn unter Rühren zusammenfallen. Ein wenig Muskatnuss einreiben, mit Salz und Pfeffer würzen.
5. Den Spinat in eine Schüssel geben und etwas abkühlen lassen.
6. Den Spinat in 4 Portionen teilen. Formen Sie mit Ihren Händen 4 feste Kugeln und drücken Sie sie gut über eine Schüssel. Ein Backblech mit Pergamentpapier auslegen.
7. Legen Sie die Spinatbällchen auf das Backblech. Drücken Sie zuerst ein wenig flach und bilden Sie dann eine Aussparung in der Mitte.
8. Schlagen Sie die Eier einzeln über eine kleine Schüssel und schieben Sie eines in jede Vertiefung.
9. Backen Sie die Spinatnester in einem auf 200 ° C vorgeheizten Ofen (Konvektion 180 ° C, Gasstand: 3) auf dem 2. Rost von unten 15 bis 20 Minuten lang. Mit Salz und Pfeffer würzen.

Joghurtknödel auf einem Erdbeerspiegel

Zutaten

- 1 Tasse Joghurt (0% Fett, Griechisch)
- 1 Packung Qimiq
- 1 Tasse Schlagsahne
- 2 EL Birkengold
- 1 Zitrone (Bio, nur Schale)
- 1/2 kg Erdbeeren (frisch oder gefroren)

Vorbereitung

1. Für die Joghurtknödel auf Erdbeerebene zuerst den Qimiq glatt rühren und die Schlagsahne steif schlagen.
2. Joghurt, Schlagsahne und Quimiq mit Birkengold und Zitronenschale mit einem perforierten Holzlöffel mischen - idealerweise einige Stunden in den Kühlschrank stellen. Die Erdbeeren vom Stiel nehmen und pürieren. Wenn Sie gefrorene Erdbeeren verwenden, lassen Sie die Erdbeeren zuerst ein wenig auftauen und pürieren Sie sie dann.

3. Etwas Erdbeersauce auf einen Teller geben. Knödel mit einem Löffel aus der Joghurtmischung herausschneiden und auf die Erdbeersauce legen.

Joghurtknödel mit Beerenpüree

Zutaten

- 250 ml Joghurt
- 250 ml Schlagsahne
- 100 g Puderzucker
- Zitronenschale
- Vanillezucker
- 6 Blatt Gelatine
- 500 g Beeren (frisch oder gefroren)

Vorbereitung

1. Die Gelatine in kaltem Wasser einweichen und ausdrücken.
2. Joghurt, Puderzucker, Vanillezucker und Zitronenschale mischen. 2 Esslöffel dieser Joghurtmischung mit der Gelatine erhitzen, bis sie

geschmolzen ist. Nun in den Rest der Joghurtmischung ziehen und abkühlen lassen.

3. Bevor die Masse zu stagnieren beginnt, fügen Sie die Schlagsahne hinzu.
4. Die gewaschenen (oder aufgetauten) Beeren mit dem Stabmixer hacken, ggf. süßen und auf Desserttellern verteilen.
5. Knödel aus der Joghurtmischung einstechen und auf das Beerenpüree legen.

FAZIT

Diabetes ist daher auf unzureichendes Insulin oder die schlechte Funktion dieses Hormons zurückzuführen. Insulin trägt zur Speicherung von Glukose, Aminosäuren und Fettsäuren bei. In dieser Datei haben wir über Blutzucker und die beiden häufigsten Arten von Diabetes gesprochen. Es gibt jedoch andere Arten von Diabetes, die spezifischer sind.

Diese Krankheit ist ein echtes Problem. Manchmal tritt Typ-1-Diabetes bei Menschen auf, die älter als die Altersgruppe sind, die typischerweise von diesem Diabetes betroffen ist. Am besorgniserregendsten ist jedoch, dass Typ-2-Diabetes immer mehr junge Menschen betrifft. Dieser Diabetes kann durch eine schlechte Ernährung verursacht werden.

Wir können daher vermeiden, Typ-2-Diabetiker zu werden, indem wir auf unsere Ernährung und körperliche Aktivität achten. Eine Person mit Diabetes hat ein höheres Risiko, an Herz-Kreislauf-Erkrankungen zu erkranken als eine Person ohne Diabetes. Deshalb ist die Lebenserwartung einer Person mit Diabetes kürzer. Im Jahr 2005 war Diabetes in den meisten Industrieländern die vierthäufigste Todesursache.

Lightning Source UK Ltd.
Milton Keynes UK
UKHW020848040621
384922UK00005B/44

9 781802 883527